AMOS DARAGON

LE SANCTUAIRE DES BRAVES I

Du même auteur :

Horresco referens,
théâtre, Édition des Glanures, 1995.

Contes Cornus, légendes fourchues,
théâtre, Édition des Glanures, 1997.

Louis Cyr,
théâtre, Édition des Glanures, 1997.

Fortia Nominat Louis Cyr,
théâtre, éditions Michel Brûlé, 2008 [1997].

En mer,
roman, éditions de la Bagnole, 2007.

Marmotte,
roman, Les Intouchables, 2008 [1998, 2001].

Mon frère de la planète des fruits,
Les Intouchables, 2008 [2001].

Pourquoi j'ai tué mon père,
Les Intouchables, 2008 [2002].

Créatures fantastiques du Québec, tome 1 et 2,
ouvrages de référence, Les Intouchables, 2009.

Dans la série Amos Daragon :

Amos Daragon, porteur de masques,
roman, Les Intouchables, 2003.

Amos Daragon, la clé de Braha,
roman, Les Intouchables, 2003.

Amos Daragon, le crépuscule des dieux,
roman, Les Intouchables, 2003.

Amos Daragon, la malédiction de Freyja,
roman, Les Intouchables, 2003.

Amos Daragon, la tour d'El-Bab,
roman, Les Intouchables, 2003.

Amos Daragon, la colère d'Enki,
roman, Les Intouchables, 2004.

Amos Daragon, voyage aux Enfers,
roman, Les Intouchables, 2004.

Amos Daragon, Al-Qatrum,
hors série, Les Intouchables, 2004.

Amos Daragon, la cité de Pégase,
roman, Les Intouchables, 2005.

Amos Daragon, la toison d'or,
roman, Les Intouchables, 2005.

Amos Daragon, la grande croisade,
roman, Les Intouchables, 2005.

Amos Daragon, porteur de masques,
manga, Les Intouchables, 2005.

Amos Daragon, la fin des dieux,
roman, Les Intouchables, 2006.

Amos Daragon, la clé de Braha,
manga, Les Intouchables, 2006.

Amos Daragon, le crépuscule des dieux,
manga, Les Intouchables, 2007.

Le guide du porteur de masques,
hors-série, Les Intouchables, 2008.

Dans la série Wariwulf :

Wariwulf, Le premier des Râjâ,
roman, Les Intouchables, 2008.

Wariwulf, Les enfants de Börte Tchinö,
roman, Les Intouchables, 2009.

Wariwulf, Les hyrcanoï,
roman, Les Intouchables, 2010.

Catalogage avant publication de Bibliothèque et Archives nationales du Québec et Bibliothèque et Archives Canada

Perro, Bryan

      Amos Daragon, le sanctuaire des braves 1
      L'ouvrage complet comprendra 3 v.
      Pour les jeunes.
      ISBN 978-2-923995-01-4 (v. 1)
      I. Titre.
PS8581.E745A8857 2011   jC843'.54   C2011-941052-4
PS9581.E745A8857 2011

Illustrations des personnages et de la couverture : Étienne Milette
Infographie et carte du monde d'Amos Daragon : Pierre Ouellette
Logo du titre : François Vaillancourt
Direction éditoriale : Bryan Perro, Gabrielle Gilbert-Hamel
Révision : Sandra Gravel, Marjolaine Deschênes

PERRO ÉDITEUR
395, avenue de la Station
C.P. 8
Shawinigan (Québec) G9N 6T8
www.perroediteur.com

DISTRIBUTION : Les messageries ADP
2315, rue de la Province
Longueuil (Québec) J4G 1G4
www.messageries-adp.com

IMPRESSION: Transcontinental Gagné
750, rue Deveault
Louiseville, Québec J5V 3C2
www.transcontinental.com

Dépôt légal : 2011
Bibliothèque et Archives nationales du Québec
Bibliothèque nationale du Canada

Bryan Perro

roman

Le Monde
d'Amos Daragon
Le Sanctuaire des Braves

L'Homme Gris

Mer du
Nord

Mer des
Deltas

Océan
Sans Fin
Nord

Vikings
de l'Ouest

Vikings
de l'Est

Forêt
Rouge

Forêt
Bleue

Forêt
Jaune

pays
d'Atrum

Terres
Barbares

Hyperbo

Sanctuaire des
Braves

Cité de

Territoires
Vikings

La Forêt des Pin Gris

Bois de
tarkasis

Territoire de
Wassali

La Terre Verte

Les Sommets Venteux

Amos Daragon

Amos est un jeune adolescent au regard franc, au cœur pur et à l'intelligence particulièrement aiguisée. Muni d'une détermination de fer, sa principale force est sa lucidité. Issu d'une famille modeste d'artisans, il conserve en lui la simplicité qui caractérise les grands héros.

Amos est difficile à berner, car il ne se fie pas qu'aux apparences. D'une prodigieuse intelligence, il adore relever les défis qui semblent infranchissables et n'hésite jamais à plonger dans l'action pour affronter ses ennemis. Plus rusé qu'un dieu, il n'est pas facile de le prendre au piège puisqu'il possède toujours une longueur d'avance sur ses ennemis. Même les immortels, pourtant surpuissants, n'arrivent jamais à le coincer. Son humour, sa finesse d'esprit et sa confiance en lui en font un personnage qui, malgré tous les dangers, sait toujours désamorcer les pièges tendus aux humains.

Au cours de ses douze aventures, Amos a su acquérir tous les masques de pouvoir, mais sa maîtrise reste à parfaire. Ainsi, une colère incontrôlée peut avoir des conséquences néfastes sur ses proches ou sur son environnement. L'injustice fait rager Amos de même que l'insolence des dieux à l'égard des créatures terrestres. Mais heureusement, Sartigan est là pour mettre de l'ordre dans ses émotions et lui enseigner les voies de la sagesse, de la modération et du contrôle.

Béorf Bromanson

Le meilleur ami d'Amos Daragon est un homme-ours de la race des béorites. À peine plus âgé que le porteur de masques, ce gros garçon sympathique et drôle possède la bonhomie caractéristique des grands optimistes. Chef de son village, il est le dernier membre de la famille Bromanson et dispose, comme ses aïeuls, du pouvoir de se métamorphoser en ours à sa guise. Malgré son impressionnante stature, ses muscles développés et ses grosses fesses bombées, il est très agile et devient un redoutable combattant si sa vie est menacée. Comme un ours, Béorf est un bon mangeur et est plus souvent guidé par son estomac que par sa tête, ce qui le place régulièrement dans des situations rocambolesques. Toujours prêt à rire même dans les situations les plus critiques, il a le cœur aussi gros que la panse et sacrifiera volontiers sa vie pour sauver ses compagnons d'aventure. Béorf est d'une culture où l'amitié est une valeur essentielle et l'honneur, une façon de vivre. Malgré son tempérament prompt et ses manières un peu brusques, Béorf est un ami dévoué, loyal et attentif.

Lolya

Cette jeune fille de race noire est l'ancienne reine d'une peuplade tribale vivant dans les lointaines contrées du sud du continent. Abandonnant sa couronne à sa jeune sœur pour suivre Amos dans sa quête, c'est une fille généreuse et dévouée. Lolya exerce ses talents d'ensorceleuse à travers les sphères de la nécromancie et de la divination. Elle possède le pouvoir d'interroger les morts, d'invoquer les esprits et de voir l'avenir.

Lolya est coquette et, la plupart du temps, porte des bijoux, résultat de son passé de jeune reine. Elle habite dans la vieille forteresse des béorites, à Upsgran, où sa serre florale est installée. C'est là qu'au milieu de ses potions, de ses huiles, de ses bougies et de ses talismans, de ses grimoires et de ses pollens, elle étudie la dague de Baal. Cette lame extraordinaire forgée dans les Enfers et rapportée chez les mortels par Amos, possède une âme qui lui est propre. Depuis le tome dix de la série, Lolya vit en symbiose avec elle. L'arme, aussi appelée Aylol, est devenue un élément essentiel à sa survie et elles ne peuvent être séparées sous peine d'en mourir toutes les deux. Capricieuse et un peu fourbe, la dague est très jalouse de l'amour que Lolya porte à Amos. Comme la jeune nécromancienne est la seule à entendre les palabres de son arme, cette dernière en profite souvent pour lancer des commentaires cinglants et déplacés. Heureusement pour la jeune noire, la dague de Baal n'est pas seulement un poids à supporter, elle lui permet aussi d'amplifier la force de sa magie et de prolonger la durée de ses sorts.

Médousa

De la race des gorgones, Médousa est la plus intrigante des compagnons d'Amos Daragon. Avec ses cheveux de serpents et son pouvoir de pétrification, elle a la peau verte, les pieds palmés et possède des ailes qui lui permettent de planer. En raison de son allure non conforme, Médousa effraie et doit toujours faire attention de ne pas provoquer la panique autour d'elle. C'est pourquoi elle se tient souvent à l'écart et cache son visage et ses cheveux sous le large capuchon de sa cape. Aussi, Flag l'inventeur lui a fabriqué une paire de lunettes appelées « lurinettes » qui protège les autres de son regard pétrifiant. Peu sûre d'elle, la gorgone est très sensible aux jugements d'autrui et se décourage souvent devant les obstacles à franchir.

Médousa est une gorgone de mer, ce qui lui confère un talent naturel pour la mobilité aquatique. Au contact du sel de l'océan, sa peau verte se transforme en un joli bleu qui lui donne une allure moins menaçante. La nage est son activité préférée et chaque jour, elle la pratique de longues heures. Même dans l'eau glacée, Médousa ne frissonne jamais, car elle est une créature à sang froid. Son corps s'adapte à la température ambiante, sauf dans les cas de froid extrême où elle risque simplement de congeler jusqu'à l'arrivée du printemps.

Prologue

La mission des quatre porteurs de masques fut un succès et la semence menant à l'équilibre entre les forces positives et négatives germe au cœur de la création de la Dame blanche. Celle-ci, maintenant incarnée dans son monde, grandit en force de jour en jour. Lentement, elle insuffle de petites parties de son âme dans les racines des premiers-nés, les arbres. Les rivières, les lacs et les océans commencent eux aussi à recevoir les bienfaits de sa présence. L'eau y est plus limpide, les poissons, plus vigoureux. Même chose pour le climat qui, moins sujet aux humeurs et aux caprices des anciens dieux, retrouve peu à peu sa douceur. Le temps commence à faire son œuvre.

Grâce aux exploits des porteurs de masques, les humains et les humanoïdes peuplant les montagnes et les déserts, les grandes vallées et les lacs profonds aussi bien que les imposantes villes et les petits villages, trouvent enfin un peu de paix, d'harmonie et de stabilité.

Seulement, les dieux ne l'entendent pas ainsi. Privés d'une partie de leur influence, ils tentent par tous les moyens de se venger de l'humiliation d'avoir été possédés par de simples mortels. Le défi des porteurs de masques n'est plus de rétablir l'équilibre du monde, mais de le maintenir.

Une grande mission, pour de grands héros.

Chapitre 1
Le vertige de Béorf

Dans le village d'Upsgran, le jeune Béorf Bromanson, chef respecté de sa communauté, était debout sur une grande tour de pierre qu'il venait à peine d'ériger avec quelques villageois. Aussi haute que quatre maisons béorites qu'on aurait empilées, elle surplombait toutes les habitations et la vallée les entourant. Debout au sommet, Béorf pouvait voir s'étendre la mer du Nord à l'infini alors qu'au sud, la forêt de pins gris se déployait elle aussi à perte de vue. Malgré son vertige qu'il tentait de camoufler par un excès de hardiesse, l'hommanimal ne se sentait pas très bien. Des étourdissements ainsi qu'une profonde nausée s'étaient emparés de lui.

- Fais attention Béorf!, lui cria Médousa, très inquiète, du bas de la tour. Arrête de regarder partout autour de toi et concentre-toi sur ce que tu fais! Pose tout de suite la dernière pierre et descends immédiatement!

Béorf rassura sa copine d'un mouvement de la main, mais ne fit pas grand cas de son avertissement. Orgueilleux, il se devait d'être fort et solide devant l'adversité, mais surtout, de ne jamais montrer de signe de faiblesse.

- Ça va passer, se disait-il, le cœur du bord des lèvres. Ce n'est rien… il faut simplement que je respire… que je respire à fond et tout ira bien.

Depuis des mois, Béorf attendait le retour de son ami Amos. Celui-ci n'avait donné aucun signe de vie depuis son grand départ pour son ultime quête consistant à rétablir l'équilibre du monde. Du haut de son perchoir, il espérait secrètement le voir arriver en chevauchant Maelström, son gigantesque dragon. Il y pensait tous les jours, mais se disait qu'aujourd'hui, le moment serait parfait pour son retour, car il pourrait l'apercevoir en premier et hurler la bonne nouvelle de toutes ses forces.

- Non, mais regardez-le!, grogna Médousa en prenant à témoin les villageois rassemblés autour de la nouvelle construction. Il regarde partout, sauf là où il met les pieds! Le dessus de cette tour n'est pas fait pour supporter son poids, elle doit uniquement recevoir Gungnir, la lance d'Odin! BÉORF! DESCENDS TOUT DE SUITE! Mais pourquoi regarde-t-il de tous les côtés!?

Lolya, la meilleure amie de Médousa, était elle aussi partie un peu après Amos. La nécromancienne était retournée chez elle, auprès du peuple des dogons, là où régnait sa jeune sœur. Depuis, la gorgone se sentait bien seule et n'arrivait pas à se faire de nouvelles copines. Avec ses cheveux de serpents, sa peau verte et sa détestable habitude de croquer des insectes vivants, elle était vue comme une curiosité à Upsgran. On la respectait, lui adressait la parole, mais pour nouer des liens d'amitié, c'était une autre affaire. Bien qu'elle fût gentille avec les habitants, elle demeurait malgré tout dans l'esprit des béorites une créature très dangereuse. Sa capacité de transformer les êtres vivants en statues de pierre, d'un seul regard, en repoussait plus d'un. Disons que Médousa imposait le respect par la peur qu'on avait des pouvoirs de sa race et que personne n'essayait vraiment de mieux la connaître.

- Ouais, ouais… je descends, murmura Béorf, un peu impatient, en jetant un dernier coup d'œil à l'horizon. Je me demande bien ce qu'il fait ce grand nigaud d'Amos et dans quel pays il doit être… J'espère qu'il se souvient un peu de nous, car la vie sans lui est d'un ennui mortel. J'ai bien besoin d'action, moi! À défaut de combattre des monstres et de vivre de palpitantes aventures, je vais terminer le socle de cette tour… euh… mais oui, la dernière pierre est juste ici, derrière moi.

Le jeune chef renonça enfin à ses rêveries et termina l'installation du socle servant à recevoir Gungnir, sa grande lance magique. Cette arme aux pouvoirs divins avait la particularité de faire tomber la foudre sur quiconque s'en approchait. Son rayon d'action, de trois à quatre cents coudées lorsque plantée au sol, se voyait presque quadruplé à l'instant où la lance était surélevée, d'où l'idée de la tour. Cette haute structure de pierre avait justement été construite dans l'unique but de protéger le village d'une éventuelle attaque ennemie. Au moindre signe d'invasion, Béorf la grimperait pour enfoncer Gungnir dans son socle et ainsi foudroyer tous les envahisseurs à une lieue à la ronde. La force de cette lance était telle qu'une armée de milliers de guerriers n'arriverait pas à toucher la première maison du village sans être complètement calcinée.

- Mais qu'est-ce qu'il fait?, s'impatienta Médousa. Ça va Béorf? Tu la termines, cette installation, ou je dois monter moi-même pour faire le boulot?

- Mais oui, ça va!!!, cria le jeune chef qui avait du mal à installer le socle. Un peu de patience, j'y arrive!

- Prends appui sur l'échafaud, mais fais bien attention, il ne semble pas trop solide!, fit la gorgone.

- Ne t'inquiète pas, cet échafaud est très fiable, déclara Béorf. C'est moi qui l'ai assemblé!

- C'est précisément cela qui m'inquiète, parfois tu tournes les coins ronds!

- Laisse-moi travailler en paix, Médousa et ne t'en fais pas, je…

À ce moment, un craquement de planche brisée retentit du haut de la tour.

- Oh non!, s'exclama Béorf, soudainement inquiet. J'espère que… ooooooh! Ça bouge!

L'échafaud se sectionna subitement en deux parties. Se détachant de la tour, l'assemblage vint se fracasser violemment au sol dans un concert cacophonique de planches cassées et de bois tordu.

Sentant qu'il allait tomber du haut de sa savante construction, Béorf eut le réflexe de bondir dans les airs et de se transformer en ours. Avec l'aide de ses puissantes pattes, il saisit la tour à bras-le-corps et planta ses griffes dans le mortier, entre les pierres, pour ne pas glisser.

- JE LE SAVAIS, TÊTE DE NŒUD!, hurla Médousa dans un nuage de poussière provoqué par l'effondrement. JE TE L'AVAIS DIT, MAIS TU NE M'ÉCOUTES JAMAIS! D'AILLEURS, TU N'ÉCOUTES JAMAIS PERSONNE!

Un peu mal à l'aise dans sa fâcheuse posture, Béorf émit quelques grognements de colère puis tenta de sécuriser sa position. De toute évidence, il ne pourrait pas demeurer bien longtemps accroché à cette tour. Deux choix aussi risqués l'un que l'autre s'offraient à lui : descendre ou monter.

- ET MAINTENANT, QU'EST-CE QU'ON FAIT, GROSSE ANDOUILLE? JE VAIS TE CHERCHER ET TE REDESCENDRE SUR MES ÉPAULES, C'EST ÇA?, lança Médousa, que l'affolement avait rendue colérique.

Devant l'impossibilité de descendre de son perchoir sans risquer une chute mortelle, Béorf décida qu'il valait peut-être mieux atteindre le sommet afin de s'y reposer et d'élaborer calmement une stratégie gagnante pour revenir indemne sur le plancher des vaches. En utilisant son extraordinaire force physique, le béorite réussit tant bien que mal à se hisser jusqu'en haut de la tour. Tel un acrobate médiocre n'ayant ni la grâce ni le talent pour faire carrière, il faillit par trois fois tomber dans le vide, mais réussit toujours à se rattraper. À chacune de ses maladresses, les habitants du village massés en bas de la tour poussèrent des exclamations angoissées.

Une fois bien assis tout en haut, il retrouva sa forme humaine et reçut un tonnerre d'applaudissements.

- Mais quel idiot!, soupira Médousa, soulagée. C'est le boulot d'une gorgone de travailler en hauteur, pas celui d'un gros ours maladroit...

D'un mouvement rapide et décidé, Médousa fit tomber sa cape et bondit sur la tour. Aussi agile qu'une araignée, elle grimpa gracieusement jusqu'au sommet où Béorf, boudeur, l'attendait en ronchonnant. Elle aussi eut droit à des applaudissements nourris. Le spectacle semblait plaire aux béorites; plusieurs étaient allés chercher des chaises afin de mieux s'installer. Confortablement assis, ils suivaient la scène en grignotant des fruits secs ou en buvant de l'hydromel. Après tout, les divertissements étaient rares dans le village.

- Tu es content, gros nigaud?, sermonna Médousa en s'approchant. Tu voulais que tout le village admire ton talent, eh bien, c'est fait! Regarde-les, on dirait qu'ils attendent que tu tombes! Fais-leur plaisir, Béorf, vas-y! Saute et fracasse-toi le crâne!

- Ah, tais-toi!, répondit Béorf. Ça ne devait pas se passer ainsi...

- Pouvez-vous parler plus fort?, se ravisa le forgeron en bas de la tour. On n'entend rien ici!

- SI JE DESCENDS, J'EN CONNAIS UN QUI SENTIRA LA FROIDEUR DE LA PIERRE !, hurla la gorgone.

- Faites comme si je n'avais rien dit !, répondit le forgeron en toussotant. On se passera de son !

- Tu as toujours les meilleures intentions du monde, dit Médousa en se retournant vers Béorf, mais tu es maladroit de naissance ! Si tu m'avais laissé faire le travail comme je te l'ai demandé, le socle de cette tour serait déjà terminé et nous serions en train de piqueniquer tous les deux sur la plage. Mais au lieu de ça, te voilà assis dans les nuages !

- Pff, je déteste les gorgones… vous êtes une race de mégères !

- Non, je te corrige ! Tu détestes te faire réprimander, surtout par une gorgone et plus encore si cette gorgone, c'est moi !

- Je reste ici… je suis bien !, trancha Béorf en se renfrognant.

- Excellente solution !, ironisa Médousa. Tu boiras l'eau de la pluie et si tu as un peu de chance, tu te mettras quelques moineaux sous la dent ! C'est un excellent plan ! Tu vas descendre… il faut trouver une solution.

- Bof…

- Ne fais pas l'imbécile !

- Non, je reste ici, j'ai dit, insista Béorf.

- Écoute, tête de nœud, tu ne peux pas rester là !

- C'est bien ce que l'on va voir, tête de serpents !

- Tous les villageois nous regardent, Béorf!, s'impatienta Médousa. Ça devient ridicule! Ne commence pas à faire la mauvaise tête! Avoue que tu as eu tort de vouloir monter ici et trouvons une solution pour te redescendre! Tu souffres de vertige et je crois...

- Premièrement, je n'ai pas le vertige, l'interrompit Béorf.

- Faux!

- Deuxièmement, c'est moi le chef et j'ai toujours raison...

- Faux!

- Troisièmement, je te déteste...

- Faux aussi! Tu m'aimes et tu me l'as souvent répété...

- Quatrièmement, tu m'énerves!

- Vrai! Et ça, c'est réciproque, mon ami!

En bas de la tour, tous les béorites du village se régalaient du spectacle. Béorf allait-il céder devant la pression constante de Médousa? Le couple était-il en train de rompre? Comment leur chef allait-il trouver le moyen de redescendre sans y perdre la vie, ni son honneur? Danger, amour et aventure, tous les éléments étaient rassemblés pour offrir une grande finale dramatique.

- Je parie deux pièces qu'il passe la nuit en haut de la tour!, dit un hommanimal à son voisin. Il est beaucoup trop orgueilleux pour céder devant la gorgone. C'est un entêté, notre chef!

- Moi, j'en parie trois qu'elle le balance en bas!, répondit le voisin. Elle a un caractère de feu cette petite! Béorf n'est pas de taille.

La boulangère du village et la tenancière de la taverne regardaient elles aussi la scène avec excitation.

- Mais qu'est-ce qu'ils font encore en haut ces deux-là?, demanda la boulangère à son amie. Ils auraient dû s'entendre et descendre, non?

- Comme d'habitude, ma chère, ils se disputent!, s'exclama la tavernière. Entre eux, c'est devenu un véritable sport!

- Hum… elle est bien laide cette petite créature verte, mais je la trouve forte, tu ne trouves pas?

- Mais, il faut l'être, ma chère, pour fréquenter un béorite! Surtout un membre de la famille des Bromanson! Ceux-là ont quelque chose dans le sang qui les rend plus têtus que la majorité des mâles de notre village. Son père Évan était ainsi, son oncle Banry aussi! De sacrées têtes de mule!

- Une lignée d'hommes solides et courageux aussi…

- Ça, c'est une évidence, ma chère! Sans les Bromanson, Upsgran n'existerait plus depuis longtemps. D'ailleurs, je te rappelle que ce sont les descendants de cette famille qui ont été choisis pour détenir la lance Gungnir, une des grandes armes magiques d'Odin.

- Oui, je sais… cela fait des dizaines de fois que tu me le répètes, grogna la boulangère.

Pendant ce temps, en haut de la tour, la situation n'avait pas évolué le moins du monde. Béorf, trop orgueilleux pour avouer qu'il avait le vertige et une peur bleue de descendre, se faisait toujours haranguer par Médousa.

- Je vais te prouver que je n'ai pas le vertige!, lança Béorf, en colère. Regarde bien!

- Ne fais pas l'imbécile, tu vas tomber!, l'avertit Médousa. Je t'interdis de bouger de là!

Sourd aux ordres de la gorgone, le jeune chef se plaça debout, sur une seule jambe. Frondeur, il regarda Médousa avec un petit sourire moqueur au coin des lèvres.

- Tu vois bien! Quelqu'un qui souffre de vertige ferait cela, selon toi? Bon, alors je crois bien que cette question est réglée! De toute évidence, je suis parfaitement capable de supporter les hauteurs!

- Cesse de faire le bouffon, tête de nœud! Si tu continues, il va t'arriver malheur!, l'avisa Médousa.

Les yeux de Béorf se posèrent sur le sol, tout en bas de la tour. Toujours sur une jambe, il commença à vaciller.

- Que veux-tu qu'il m'arrive, dit-il. Je suis… oh là… je… ça tourne!

Les yeux toujours fixés vers le bas, les habitants d'Upsgran lui semblaient bien petits et leurs maisons, minuscules. Béorf tenta de se ressaisir. Il sentit de grosses gouttes de sueur froide glisser sur sa peau.

- Le paysage est… est magnifique… d'ici!, dit-il d'une voix chevrotante. Tu vois bien, je suis…

- Cesse tout de suite de faire le pitre, Béorf!, s'impatienta Médousa. Si tu continues, je t'avertis que…

Les montagnes, la mer et les nuages commencèrent à bouger anormalement autour de Béorf. Tout le décor dansait maintenant autour de lui!

- Non… finalement… ça ne… ça ne va pas du tout… j'ai la tête qui tourne et… et je perds l'équilibre… le vide… le vide m'attire!, fit Béorf avant de se laisser tomber mollement de la tour.

Un hurlement d'horreur se fit entendre dans l'assistance et monta jusqu'aux oreilles de Médousa. Heureusement, la gorgone ne se laissa pas déconcentrer par la panique. Elle bondit sur Béorf pour l'attraper et le serra de toutes ses forces. Enfin, lorsqu'elle fut certaine de sa prise, la gorgone déploya ses ailes afin d'amortir leur chute.

- L'eau!, pensa-t-elle. C'est notre seule chance!

Sous les regards éberlués des villageois, Médousa plana du mieux qu'elle put en direction de la mer, mais elle heurta au passage la tourelle du poste des gardes. Ralentie par le choc qui fit s'effondrer les garde-fous, la gorgone perdit la maîtrise de son vol. Elle piqua vers la taverne et disparut, toujours en tenant Béorf contre elle, dans le toit de chaume du bâtiment.

Mais la descente ne s'arrêta pas là!

Une fois dans la taverne, l'impulsion de la chute leur fit traverser une fenêtre du deuxième étage puis voler à l'extérieur. Ensemble, ils rebondirent sur l'escalier de la maison du forgeron. Le choc fit voler en éclat quelques marches, mais les ralentit suffisamment pour qu'ils terminent leur chute en plein dans la mare à cochons du boucher. Leur atterrissage brutal dans la boue fit hurler les porcs qui se mirent à courir dans tous les sens en poussant des cris de panique.

Rapidement, les habitants du village accoururent pour les secourir et on les retira de la mare de boue.

- Bravo!, clamèrent plusieurs spectateurs en applaudissant la performance.

Médousa, complètement souillée, bouillait de colère alors que Béorf, honteux, remercia chaleureusement les béorites de leur aide.

- C'était la meilleure performance qu'on ait vue depuis longtemps!, lança le forgeron, épaté. Ça valait bien quelques marches brisées! Mais quel saut! Mes félicitations!

Tentée par l'envie de le transformer en statue de pierre, la gorgone lui fit signe de dégager les lieux, ce que le forgeron n'hésita pas à faire. Puis, Médousa essuya les excréments qui lui couvraient le visage. Elle nettoya ses lurinettes, les reposa sur son nez, puis s'approcha de Béorf en serrant les dents.

- Celle-là, tu vas me la payer, tête de nœud!, lui glissa-t-elle à l'oreille avant de lui assener un bon coup de poing sur l'épaule.

- Euh… merci de m'avoir…

- CHUT!, fit la gorgone. Plus un mot, je vais me laver!

- D'accord!, lança Béorf, mal à l'aise. On se voit plus tard!

- C'est ça, oui…, maugréa Médousa. On se reverra dans un mois, lorsque je n'aurai plus envie de t'étrangler!

Pour Béorf, il n'y avait pas trente-six solutions pour se faire pardonner. Il lui fallait offrir un cadeau… un très gros cadeau.

- Pfff… et il faudra que ce soit quelque chose d'original!, se dit-il en se creusant les méninges.

Chapitre 2
Le cadeau de Médousa

Afin de se nettoyer un peu, Béorf se rendit sur les quais du petit port où il plongea dans l'eau. Il se lava le visage et les cheveux du mieux qu'il put, mais rien à faire avec ses vêtements. Même après avoir trempé un bon moment avec lui dans la mer, ils étaient répugnants. Une odeur très prononcée de fiente de porc avait imprégné les fibres des tissus. Impossible de la faire partir sans un bon lavage en profondeur.

- Bon…, fit Béorf, un peu embêté. Qu'est-ce que je fais maintenant? Je vais aller chez Sartigan…

Afin de s'assurer de ne pas croiser Médousa sur son chemin, il évita de prendre la route menant à la vieille forteresse, où il habitait avec sa copine, et décida plutôt de piquer directement par la forêt. Il avait laissé des vêtements propres dans la petite cabane du maître où il se rendait deux fois par semaine pour s'entraîner et recevoir des leçons de méditation. Après quelques minutes de marche, il déboucha aux abords de la cabane.

Le vieux Sartigan était en train de cultiver son jardin de fleurs.

- Ça sent le cochon!, dit-il soudain, en levant la tête.

Depuis le départ d'Amos, le maître avait pris un sérieux coup de vieux et partageait ses journées entre l'enseignement, la méditation et l'horticulture.

Junos, le souverain de Berrion, avait fait de lui son ministre de l'Éducation. Cette tâche de conseiller l'obligeait à faire le voyage entre Upsgran et Berrion tous les mois où il siégeait au conseil des sages. Exerçant à chacun de ses voyages ses qualités de professeur auprès d'un groupe de jeunes particulièrement doués du royaume, Sartigan profitait de ces moments en ville pour acheter des graines de fleurs exotiques afin de garnir son jardin. Terminées, pour lui, les grandes aventures. Il souhaitait maintenant vivre en paix au cœur de la nature.

- Ça sent le cochon et… l'ours mouillé!, continua le vieux maître. Ce doit être Béorf!

- Très drôle… je sais que vous m'avez vu arriver! Vous avez des yeux tout le tour de la tête!

- Pourquoi, jeune béorite? Parce que mon esprit est vigilant, une qualité qui s'acquiert avec la méditation… chose que tu ne pratiques pas assez. Tu es sale, Béorf! Et puis, tu sens le cochon, tu pues le crottin… ce n'est pas digne d'un chef de village!

- Oh, ça va! Je sais très bien de quoi j'ai l'air!, s'exaspéra Béorf. J'ai glissé dans la mare aux cochons du village, c'est tout!

- Tu t'amuses avec les porcs?

- Non, je ne m'amuse pas avec… pff, laissez tomber Sartigan! Je peux me changer? J'ai laissé quelques vêtements ici.

- Oui, mon élève! Et prends aussi un bain!, lança Sartigan en retournant à son projet horticole. Il y a un baril derrière la maison et le réservoir d'eau est plein. Tu trouveras aussi du savon au lait de chèvre dans la cabane.

- Merci bien! Je tâcherai de faire vite…

- Prends ton temps… rien ne presse.

- En réalité, je dois me dépêcher!, le contredit Béorf. Il me faut absolument trouver un cadeau pour Médousa, sinon elle ne me parlera plus pendant des jours. Vous savez comment elle est, un vrai caractère de… de…

- De gorgone, oui! Mais qu'as-tu encore fait?, demanda Sartigan avec un sourire aux coins des lèvres.

- Je n'ai rien fait de mal! C'est simplement cette tour qui… en fait, je voulais montrer que… et puis zut, ce serait trop long à expliquer. Un jour, je vous raconterai…

Béorf remplit la cuve et retira ses vêtements souillés. Même si l'eau était glacée, il s'immergera en poussant quelques petites exclamations de surprise. Son corps supportait très bien le froid, même que les basses températures engourdissaient les muscles de son corps en lui procurant un bénéfique état de somnolence. Mais aujourd'hui, il n'avait pas le temps de se détendre. Il lui faillait dénicher un cadeau pour Médousa dans les plus brefs délais.

- La dernière fois que nous nous sommes disputés, pensa-t-il, je lui donné un grand sac rempli d'asticots. Elle était ravie et les a tous mangés dans la soirée, comme si c'était des biscuits! Cette fois, pas question d'insectes… l'idée me répugne trop. Si c'était une fille normale, je pourrais lui offrir des fleurs, mais elle déteste ça! Pfff, ma vie aurait été plus simple si j'étais tombé en amour avec une béorite, comme moi! Mais non, il a fallu que je me laisse séduire par une des créatures les plus dangereuses du monde…

Béorf chercha la brosse pour se laver le dos, mais il ne la trouva pas.

- Ah non! fit-il, exaspéré. J'ai oublié la brosse dans la cabane… Oyé! Sartigan? J'ai laissé la… mais qu'est-ce qui arrive?

Le béorite constata que l'eau de son bain était soudainement devenue tiède.

- Hum… je suis bien… c'est vraiment agréable, pensa-t-il.

Puis, un étrange mouvement dans l'eau du bain attira son attention.

- Tiens, tiens, c'est bizarre ça… on dirait qu'il y a du courant! À moins que le baril se vide?

Béorf ne trouva aucune fuite, mais il remarqua que la saleté en suspension avait formé une boule, dans l'eau, juste devant lui. Roulant sur elle-même, elle semblait attirer toutes les particules en les agglutinant sur elle. Le manège s'arrêta une fois que l'eau du bain fut redevenue propre et translucide. À ce moment, la boule de crasse se muta en une forme humanoïde.

- Oooooh! C'est… c'est vraiment étonnant! Il lui pousse de petits bras… et des jambes aussi!

Le béorite, les yeux ronds et la mâchoire décrochée, admira l'étrange phénomène jusqu'à ce que le corps de la boule de crasse soit complètement formé. Quiconque se trouvant dans la même position que Béorf aurait sauté hors du bain en poussant de cris de panique, mais pas lui. Le jeune chef en avait vu bien d'autres dans ses aventures auprès d'Amos Daragon et les événements inexpliqués ne lui faisaient plus peur. De plus, il avait une confiance inébranlable en sa force physique et ne craignait vraiment que les créatures dont la taille excédait de plusieurs fois la sienne.

Calmement, il saisit entre ses mains le petit bonhomme de saleté, rond et dodu, l'observa quelques instants et le déposa dans l'eau.

- Ça alors!, s'exclama-t-il en apercevant le petit intrus faire quelques brasses vers le bord du baril, pour ensuite y grimper. Mais qui es-tu, toi? Et d'où viens-tu? Tu es mignon comme tout! Je crois que je viens tout juste de trouver ce que je vais offrir à Médousa! Elle va t'adorer!

Le petit bonhomme de crasse fit une révérence, puis commença à danser.

- T'es drôle, toi! Oui, c'est exactement ce qu'il me faut pour Médousa!!! Eh toi? Tu veux bien m'accompagner au village, petit bonhomme, j'aimerais te présenter quelqu'un!

L'humanoïde cessa alors sa danse et fit signe à Béorf de s'approcher.

Trop content d'avoir établi le contact, le béorite le frôla de son visage.

- Tu sais parler, toi?, chuchota-t-il à son nouvel ami. Écoute, j'ai quelque chose à te proposer... tu restes avec ma copine Médousa pendant un mois, et moi, en retour, je t'offre le gîte et le couvert! Si à la nouvelle lune tu décides de partir, eh bien soit, je te laisse aller, mais si tu décides de rester, je te garde le temps que tu voudras! C'est d'accord???

Le petit bonhomme fit clairement non de la tête.

- Alors, demande-moi ce que tu veux!, poursuivit Béorf. Si je peux, je te l'accorde! Parle, je t'écoute...

Sans prévenir, la créature de crasse bondit au visage de Béorf et explosa dans un nuage de puanteur. La figure souillée, le béorite poussa un cri de surprise avant de lancer quelques bons jurons. L'eau du bain, devenue tiède quelques secondes avant l'apparition de l'humanoïde, commença soudainement à bouillir sous son postérieur.

- Ouille! C'est chaud! Mais ça brûle!!!, s'exclama Béorf avant de faire basculer le baril pour s'en extraire. Mais qu'est-ce que c'est? Qu'est-ce qui se passe ici?! Si je te retrouve, petit malin, tu vas passer un mauvais quart d'heure, je te le jure!!!

Béorf saisit un bout de tissu et commença à s'essuyer en pestant contre la petite créature.

À peine eut-il le temps de remettre son pantalon en maugréant que le rire cristallin d'une jeune fille lui parvint aux oreilles. Puis, son odorat aiguisé de béorite détecta une odeur familière, les effluves d'un ami avec qui il avait partagé de grandes aventures. Pas de doute, Amos Daragon était là, tout près de lui.

- Salut chef!, lança Amos qui sortit de sa cachette. J'espère que tu as aimé mon petit bonhomme de crasse? L'eau n'était pas trop chaude?

Les narines de l'hommanimal ne l'avaient pas trompé.

- Salaud, va!, rétorqua Béorf en cachant ses émotions. J'aurai dû me douter que c'était toi, tes tours manquent toujours de subtilité!

À force de te fréquenter, j'ai perdu beaucoup de ma finesse!, reprit Amos en essayant de se contrôler lui aussi. La prochaine, je tenterai de faire mieux!

Incapable de continuer la comédie, l'hommanimal explosa!

- Dans mes bras, mon ami!!!, clama-t-il, les larmes aux yeux.

- Avec plaisir, mon ami!!!, répondit Amos, tout aussi ému.

Les compagnons d'aventures tombèrent dans les bras l'un de l'autre et demeurèrent un moment agrippés fermement.

- Je suis si content de te voir, Amos, dit Béorf en se détachant un peu de son ami. Comme je sais que tu ne peux rien faire correctement sans moi, je me suis beaucoup inquiété pour ta dernière mission.

- Et moi, comme je sais que tu n'as pas de vie sans moi, j'ai eu peur que tu meures d'ennui! C'est uniquement pour cette raison que je suis revenu! Encore une fois, je suis là pour te sauver la vie!

Derrière les garçons, Lolya regardait la scène avec découragement. À ses côtés, Sartigan arborait quant à lui un grand sourire.

- Ce sont les deux meilleurs amis du monde et ils ne peuvent pas s'empêcher, même après une longue séparation, de se dire des âneries!, fit Lolya dans un soupir d'incompréhension.

- Les garçons sont ainsi, ma chère Lolya, ils expriment leurs sentiments autrement… Ils ont besoin de protéger leur virilité et procèdent par l'humour pour se dire les choses. Il faut lire entre les lignes…

Amos et Béorf se taquinaient toujours.

- Je te regarde Amos… mais… mais tu es beaucoup plus laid qu'avant ton départ! Il est arrivé une mésaventure à ton visage?

- Non, c'est ce qu'on appelle la maturité, mais sois rassuré, ça ne risque pas de t'arriver!, répliqua le porteur de masques. Et toi, tu as encore grossi! J'ai vu tes bourrelets lorsque tu es entré dans le baril!

- Oui, c'est ce qu'on appelle devenir un homme, une chose que tu ne connaîtras pas avant longtemps!, continua Béorf. J'ai pu voir que tu as beaucoup amélioré tes sorts, mon Amos! Le petit bonhomme de crasse, c'est ta nouvelle arme?

- Oui… et elle me sera aussi utile qu'un béorite en haut d'une tour! D'ailleurs, je veux te féliciter pour le plongeon qui, ma foi, fut une…

Lolya excédée, exprima soudainement son impatience.

- OH!!! Je suis là aussi! À force de vous dire des bêtises, je suis en train de croire que vous vous détestez! Terminé les balivernes, j'aimerais bien que tu t'occupes un peu de moi, Béorf! Après tout, je suis aussi ton amie, non?

- AH, LOLYA!, s'exclama l'hommanimal en la serrant dans ses bras. Je m'excuse, c'est ce grand nigaud qui m'a détourné l'esprit! Le petit rire de tout à l'heure, c'était toi, non?!

- Dans mes bras mon gros ourson!, fit Lolya. Oui, c'était moi! Il faut dire que le numéro du petit bonhomme était réussi!

Béorf la souleva de terre et l'embrassa sur la joue. Lolya explosa d'un rire cristallin.

- Tu sais que je me suis beaucoup ennuyée de toi?, lui confia la nécromancienne. Amos ne te le dira pas, mais nous avions tellement hâte de vous revoir, toi et Médousa! Il n'y a pas une journée que nous avons passée, Amos et moi, sans parler de toi! C'est un si grand bonheur de te revoir, mon bon ami!

L'hommanimal éclata en sanglots.

- Moi… moi aussi, dit-il en essuyant ses larmes. Je me suis beaucoup ennuyé! Attends de voir la réaction de Médousa lorsqu'elle te verra! Elle va exploser de joie! Tu sais… depuis ton départ, elle ne s'est pas fait de nouvelles copines et parfois, je crois qu'elle regrette un peu de vivre à Upsgran, loin des gorgones de mer.

- Dans ce cas, allons-y, chef!, proposa Amos, lui aussi impatient de revoir la gorgone.

- Moi qui désirais lui faire un cadeau!, rigola Béorf. Elle va être servie!

- Si vous le permettez, j'aimerais bien vous accompagner, dit Sartigan. J'aime assister à de beaux moments de retrouvailles.

- Avec plaisir, maître!, s'exclama Béorf. Mais… mais cela fait longtemps que tu es de retour, Amos? Et Lolya?

- Non, nous sommes arrivés tard dans la nuit d'hier, répondit le porteur de masques. Nous étions trop fatigués pour les retrouvailles! Alors, nous avons passé la nuit ici, chez Sartigan. Ce matin, nous nous rendions à Upsgran lorsque je t'ai aperçu en haut de la tour en train de te faire sermonner par Médousa. C'était une scène tout à fait comique et votre chute nous a fait bien rigoler!

- C'est après avoir assisté à votre atterrissage dans la mare à cochons que nous avons pensé revenir plus tard, expliqua Lolya. Le moment semblait mal choisi pour effectuer notre grand retour!

Béorf acquiesça en rigolant lui aussi.

- Alors en route!, fit-il, rempli d'allégresse.

Pour surprendre Médousa, le béorite suggéra de contourner le village afin d'arriver directement à la vieille forteresse du haut de la montagne.

- Dis-moi, Béorf, demanda Amos en marchant à ses côtés. Maelström est rentré à Upsgran?

- Non, personne ne l'a vu depuis ton départ, répondit Béorf dans un soupir. J'espérais que tu me dises qu'il était encore avec toi! Tu l'as abandonné en route?

- Oui, je n'avais pas le choix… je regrette, j'ai peur pour lui.

- Ne t'en fais pas, rigola Béorf, c'est quand même un dragon! Je suis certain qu'il est capable de se défendre!

- Oui, c'est certain, fit simplement Amos. J'aurais espéré qu'il retrouve rapidement son chemin, c'est tout! Tu sais, j'étais sur un autre continent lorsque nos chemins se sont séparés.

- Un autre continent, c'est incroyable!!! Il faudra que tu nous racontes ta grande aventure! J'ai tellement hâte d'en entendre parler!

- Oui, je le ferai, Béorf… assurément, je le ferai!

Après un petit détour dans la forêt, les compagnons arrivèrent à la vieille forteresse, leur lieu de résidence. L'endroit était sensiblement le même qu'avant, à la différence que de nombreux jardins de fleurs poussaient maintenant entre les ruines des anciens murs de fortification. Les parfums entremêlés des plantes embaumaient l'air d'une douce fragrance sucrée. Amos eut le sentiment qu'il était enfin de retour à la maison.

- Depuis quelques mois, dit Sartigan en pointant le fruit de son travail, les plantes poussent mieux et leur feuillage est plus généreux qu'auparavant. Je n'ai eu aucun mal à faire pousser ces magnifiques fleurs.

- La Dame blanche reprend lentement le contrôle de sa création, cher maître, et les changements ne font que commencer!, répondit Amos, non sans fierté. Bientôt, les dieux n'auront plus aucun pouvoir sur le monde et ils seront oubliés.

- Dans ce cas, tout va pour le mieux, répondit Sartigan en souriant à son élève. Je savais que tu réussirais à rétablir l'équilibre, nous le savions tous! Ce fut une tâche rondement menée.

- Mais, je n'étais pas seul, précisa modestement Amos. J'étais accompagné de quatre autres porteurs de masques…

Amos n'eut pas le temps de terminer sa phrase qu'un cri de surprise retentit dans toute la forteresse.

- AAAAAAH!!!! AAAAAAH!!!, hurla Médousa en courant vers son amie Lolya.

- HIIIIIIIII! HIIIIIIII!, lui répondit Lolya, tout aussi excitée.

- AAAAAH!, cria Médousa en enlaçant Lolya.

- HIIIIIIII! HIIIIIII! HIIIIIII!, s'exclama la nécromancienne en dansant dans les bras de la gorgone.

- AAAAAAAAAH!, continua Médousa qui bondissait comme une sauterelle épileptique.

- HIIIIIII!, ajouta encore Lolya avant de faire des HOOOOO! et des AHHHH! elle aussi.

Derrière les filles, Amos et Béorf regardaient la scène avec surprise et incompréhension.

- Des AH, des HI et finalement des HO!, fit Béorf, décontenancé. Tu crois qu'elles sont heureuses de se voir, ou qu'elles ont soudainement attrapé une maladie étrange?

- Je ne sais pas trop, fit Amos en se grattant la tête. Avec les filles, il est toujours difficile de différencier la crise de joie de la crise de nerfs.

- Je crois que nous assistons à un mélange des deux!, conclut Béorf en haussant les épaules.

- Les filles sont ainsi, mes chers élèves, elles expriment leurs sentiments différemment, expliqua Sartigan, amusé.

- AAAAAAAAAAH!, poussa encore une fois Médousa en se jetant dans les bras d'Amos. AAAAAAAAH!

- Moi aussi, je suis content de te voir, Médousa!!!, s'exclama le porteur de masques. Aaaaah, moi aussi! Aaaaah! Ah.

- AAAAAAAH!, répondit-elle, toujours sautillante.

Malin, Béorf essaya de profiter de la situation pour se réconcilier rapidement avec sa compagne. En espérant que la joie de retrouver ses amis lui ait fait oublier leur mésaventure de la tour, le jeune chef tendit les bras vers la gorgone et lança :

- Quelle belle journée de retrouvailles! Dans mes bras Médousa!

La gorgone arrêta net ses manifestations de joie et dévisagea Béorf. Le béorite eut un léger mouvement de recul.

- Toi, lui murmura-t-elle en approchant son nez de celui du béorite, tu ne t'en tireras pas aussi facilement. Tu as l'habitude de racheter tes pitreries en m'offrant un cadeau, eh bien, j'attends! Que m'as-tu rapporté?

- Euh… je… euh…, fit Béorf, mal à l'aise. Je croyais que Lolya et Amos seraient… non, de toute évidence ce n'est pas suffisant… bien sûr, ce n'est pas un véritable cadeau…

Devant le bafouillage de son ami, Amos saisit rapidement une pierre au sol et la serra dans la paume de sa main. Utilisant les pouvoirs du masque de la terre, il la transmuta en une magnifique émeraude verte, exactement de la même couleur que la peau de la gorgone. Subtilement, en faisant mine d'être ému par la beauté d'une fleur, il s'approcha de Béorf et lui remit discrètement dans la main sa toute nouvelle création. Le plus naturellement du monde, Amos continua son chemin en interpellant Sartigan.

De son côté, Béorf se sentit soudainement délivré. Il savait que son ami Amos venait de lui rendre un immense service. Bien qu'il n'ait aucune idée de ce qu'il tenait dans sa paume, il présenta fièrement la chose à sa copine.

- Voilà, c'est pour toi, fit-il. Je voulais te la faire arranger pour… wow, c'est vraiment beau! Euh… oui, la faire arranger pour t'en faire un collier, mais comme tu insistes pour l'avoir tout de suite…

- AH! NON! Mais c'est trop ravissant!, s'exclama la gorgone, confuse. En réalité, je n'étais pas sérieuse… je voulais te taquiner… te faire regretter ta mauvaise attitude… mais là, je suis… je suis terriblement gênée… mais, où as-tu trouvé une pierre aussi magnifique?

- Si je te le disais, ce ne serait plus un cadeau!, fit Béorf en lui souriant tendrement. Tu la mérites, ma belle Médousa. Je sais que ce n'est pas facile tous les jours…

- Tu es charmant, Béorf… merci… merci beaucoup!, lui dit-elle en l'embrassant sur la joue.

- De rien! Je suis content de constater que je me suis racheté un peu! Allez! Va voir ta copine Lolya, lui suggéra Béorf. Vous avez certainement beaucoup de choses à vous raconter!

- Oui… en effet! On se reparle tout à l'heure!

Une fois la gorgone partie, Béorf, l'air soulagé, se retourna vers Amos qui humait toujours les fleurs non loin de là.

- Merci mon vieux, tu viens de me tirer d'un très mauvais pas!

- Il était temps que je revienne dans ta vie, non?, blagua Amos.

- En effet!

Arrivant de la pêche, Geser Michson accourut vers Amos et le serra amicalement dans ses bras.

- C'est bon de te revoir, jeune porteur de masques!

- Quel plaisir aussi pour moi!, répondit Amos.

- Tu me ramènes ma petite bête?, fit Geser, tout excité. Où est mon gros Maelström que je lui flatte les écailles?

- Oh… franchement, je dois t'avouer qu'il n'est pas revenu avec moi…

Le béorite cessa un instant de respirer.

- Il n'est pas… non, ce n'est pas possible… je t'en prie, dis-moi qu'il n'est pas mort!

- Je suis certain qu'il est encore bien vivant, Geser!, le rassura Amos. Seulement, au cours de ma dernière mission, j'ai dû le laisser derrière moi.

- Où est-il, dans quel pays?

- Il est sur un autre continent, Geser. En fait, j'ai dû l'abandonner aux soins de Tserle Merle, une porteuse de masques du continent de l'air. Celle-ci s'en est servi pour atteindre le continent de l'eau afin d'y trouver une porte magique… C'est un peu compliqué, mais je te rassure, j'ai revu Tserle qui m'a confirmé que Maelström lui avait été d'une grande utilité et qu'il rentrait à Upsgran en emportant mes oreilles de cristal.

Geser baissa la tête et s'embruma.

- Oh, je vois!, fit-il dans un soupir de déception. Cela ne diminue en rien mes inquiétudes… tu sais, bien qu'il soit gros, Maelström est une créature très sensible…

- Je sais, répondit Amos en essayant de se faire rassurant. Je ne l'ai pas quitté de gaieté de cœur, Geser, et je sais que le voyage d'un continent à un autre est périlleux. Cependant, j'ai confiance en sa force et en son jugement.

- Et où est-il, exactement, ce continent de l'eau?

- Aucune idée, dit franchement Amos. Je n'y suis pas allé… c'est Tserle qui a fait le voyage avec lui.

- Donc, nous n'avons vraiment aucune idée d'où il peut bien être?

- Désolé Geser… j'aimerais pouvoir te dire où il se trouve, mais je l'ignore.

- Il faudra que je vive avec cette idée!, se résolut Geser. Moi aussi, je lui fais confiance, mais je m'inquiète comme un père pour son enfant, c'est tout! Je sais que cela peut paraître ridicule de se faire du souci pour une bête capable de raser une ville entière d'un seul souffle, mais je n'y peux rien… c'est comme ça!

- Je te comprends…

Sartigan s'approcha de Geser et posa la main sur son épaule.

- Chez moi, on dit que parler avec bonté crée la confiance, que penser avec bonté crée la profondeur et enfin, que donner avec bonté crée l'amour! Tu aimes Maelström, Geser, et je sais que cet amour est réciproque. Le dragon que tu as élevé suit présentement son propre chemin de vie, sa voie. Ne laisse pas de mauvaises pensées t'envahir et sois positif pour son retour. Tu lui as donné la confiance, la profondeur et l'amour… avec ce bagage, il dispose de tous les outils pour triompher des épreuves qu'il croisera sur sa route.

- Merci… tes mots me rassurent, Sartigan!, fit Geser. Et si nous organisions une petite fête, ce soir, pour fêter le retour d'Amos? Je viens de pêcher d'appétissants poissons et je me charge d'en faire un festin, ça vous va?

- Excellente idée!, fit Béorf, débordant de joie. Geser s'occupe de préparer un banquet et moi, je me charge de tout manger!

Amos, Geser et Sartigan rigolèrent un bon coup.

Ce soir-là, la vieille forteresse des béorites résonna de rires, de chants et de musique jusqu'à tard dans la nuit. Amos avait ramené avec lui la joie, et chacun souhaitait au fond de son cœur qu'elle demeure à jamais.

Chapitre 3
L'incroyable aventure

Tout le village d'Upsgran était rassemblé à la taverne où Amos Daragon, installé sur une estrade de bois, venait de terminer le récit de sa grande aventure. Il avait tout raconté, de son départ du village jusqu'à la fête de la veille. Avec une véritable adresse de conteur, il avait tenu l'assemblée en haleine en lui racontant ses combats avec les cyclopes; les béorites avaient suivi avec attention sa description du continent de l'air ainsi que sa montée vers les neiges éternelles du mont Hypérion. L'imitation de Plax, le guide de montagne Korrigan, les avait bien fait rire. Même la descente dans les profondeurs de la terre semblait avoir passionné les auditeurs. Seulement, lorsqu'Amos termina sa narration, l'assistance demeura muette. On aurait pu entendre une mouche voler dans la taverne. Les habitants d'Upsgran, qui normalement s'empressaient d'applaudir après avoir entendu un bon récit, demeuraient immobiles comme des statues.

- Voilà!, conclut une seconde fois Amos. C'est ainsi que l'équilibre du monde fut rétabli! C'est ce que j'ai fait avec les trois autres porteurs de masques... et Maelström bien sûr... et... c'est tout.

Amos balaya la salle du regard. Curieusement, les béorites d'habitude si contents de se faire raconter des histoires extraordinaires semblaient déçus, voire irrités de ce qu'ils avaient entendu. Même Béorf se grattait la tête en se demandant si son ami n'avait pas perdu la tête.

- Si je peux me permettre, Amos, dit le forgeron du village, tu nous certifies que le monde sur lequel nous vivions est… rond? Depuis toujours nous savons que notre terre est plate, mais toi, tu insistes pour dire qu'elle a la forme d'une boule? Entre nous, c'est complètement absurde! Si la terre était ronde, eh bien… ceux qui vivent la tête en bas tomberaient dans le vide, non?

Un murmure dans l'assemblée fit comprendre à Amos que cette découverte, quoique vraie, serait difficile à faire avaler.

- Et en plus d'être rond comme un ballon, continua Amos en essayant de se faire le plus persuasif possible, il y a quatre continents représentant chacun des éléments! Ici, sur cette partie du monde, nous vivons dans l'élément de la terre. Nos forêts sont luxuriantes et notre géographie est diversifiée! Si nous ne tombons pas vers le ciel et si nos pieds demeurent bien plantés sur la terre, c'est parce qu'une substance qui se nomme l'éther nous retient, précisa Amos. Elle est invisible, inodore et incolore, mais c'est grâce à sa force que nous demeurons collés les pieds dans le sable! Cet élément est indispensable à notre vie!

- Oui, mais toi, tu peux voler?, questionna encore le forgeron. Comment y arrives-tu dans ce cas? Tu nages dans l'éther?

- En tant que porteur de masques, expliqua Amos, je contrôle les éléments dont l'éther fait partie! Je peux manipuler cet élément à ma guise. Voyez, par exemple… Mentalement, j'imagine devant moi un escalier et…

Amos leva la jambe et posa le pied dans le vide. Devant les béorites ahuris, il s'éleva dans les airs exactement comme s'il y avait de véritables marches sous ses pieds. Ainsi, il escalada son escalier invisible jusqu'au plafond pour redescendre ensuite sur son estrade. Un tonnerre d'applaudissements s'ensuivit.

- Je commence peut-être à les intéresser, pensa Amos, soulagé d'avoir dégourdi son auditoire.

- Manifestement, fit humblement le forgeron, il y a des choses que je ne comprendrai jamais! Mais bravo quand même pour la démonstration, c'est impressionnant! Va pour ton explication sur l'éther… mais j'ai quand même du mal à croire que nous vivions sur une boule.

- Si je peux me permettre, Amos, intervint Béorf, tu as bien dit que sur cette boule il y a trois autres continents, c'est ça? Nous ne connaissons pas les mondes de l'air, du feu, de l'eau, car nous vivons sur celui de la terre, j'ai bien compris?

- Très juste!

- L'air, le feu et l'eau, quoique présents partout, ne sont pas les éléments principaux de notre monde! Sur les autres continents, par exemple sur celui de l'air que j'ai visité, la vie est entièrement liée aux cycles du vent. D'ailleurs, j'ai appris qu'ils ont trois cents mots pour décrire les différentes manifestations des mouvements de l'air! Il y a aussi de la terre, des montagnes et des falaises, mais l'air est l'élément autour duquel la vie de toutes les créatures est organisée.

Un murmure parcourut l'assistance.

- C'est difficile à avaler!, grogna la tavernière. Je n'admets pas que l'on puisse venir d'un continent où il n'y aurait que de l'eau!

- Pourtant, vous avez accueilli une de ces habitantes, ici même, dans cette auberge! Elle se nommait Fana Ujé Hiss et arrivait tout droit de son univers aquatique!

Stupeur chez les spectateurs, tous les regards se tournèrent vers la tavernière.

- Mais non! C'est impossible! Je n'arrive pas à le croire… à moins que… non, ce… pas la petite chauve qui m'a payée avec des pierres précieuses? C'était elle? C'était une porteuse de masques?

- Oui, c'était bien elle, confirma Amos.

- FANA!?, fit soudainement Médousa, présente dans la salle. Mais! Mais nous avons mangé ensemble avant qu'elle ne disparaisse, comme ça, juste à la fin du repas! C'était une porteuse de masques!?

- Oui, Médousa… et elle envoie ses salutations! Tu sais que c'est grâce à toi qu'elle a trouvé la porte d'entrée pour venir à la réunion des porteurs de masques?

- Elle est bonne celle-là!, s'étonna la gorgone. Mais pourquoi ne pas me l'avoir dit avant?

- Parce que j'attendais le bon moment pour livrer tous les détails de mon histoire!

La tavernière s'était déplacée vers son bar et fouillait dans une cassette remplie de pièces de monnaie. Contente, elle trouva les pierres de Fana et les présenta à l'assemblée des béorites.

- Regardez, fit-elle, elles viennent d'un autre monde!

Une exclamation de surprise se fit aussitôt entendre. Les hommanimaux étaient en pâmoison. Amos dut se mordre l'intérieur de la joue pour ne pas rire.

- Euh, si je peux me permettre, demanda la boulangère une fois le choc des pierres passé, je n'ai pas très bien compris tes explications sur la Dame blanche et l'équilibre du monde.

- D'accord, fit Amos après quelques instants de réflexion, je vais vous l'expliquer autrement... La Dame blanche est la déesse suprême de notre monde, c'est elle qui a façonné les continents ainsi qu'une incroyable variété de créatures vivantes. Jusque-là, vous me suivez?

- C'est elle qui a créé les béorites, et pas notre dieu Odin?, demanda un jeune homme-ours.

- J'y viens, continua Amos qui ne voulait pas brûler d'étapes. Alors... après avoir façonné les oiseaux, les poissons et la végétation, elle a créé les dieux pour veiller sur sa création. Vous me suivez toujours?

Toutes les têtes répondirent par l'affirmative.

- Ici, ça devient un peu plus compliqué, précisa Amos. Afin que l'énergie indispensable à la vie circule bien dans le Nouveau Monde, elle a inséré les dieux dans des pôles positifs et négatifs…

- C'est un peu comme le bien et le mal?, demanda Béorf. Il y a des dieux mauvais et d'autres bons, non?

- Non, pas vraiment… je te donne un exemple, Béorf : pour faire du feu, tu as besoin de deux pierres de silex, non? Et tu les frappes l'une sur l'autre pour produire une étincelle qui enflammera quelques brindilles de bois… la friction entre les deux pierres crée l'énergie! Tu vois?

- Euh…, fit le jeune chef, incertain en se grattant la tête. Donc… c'est… la friction entre le pôle positif et le négatif des dieux qui crée l'énergie nécessaire à la vie!

- EXACTEMENT, MON AMI!, lança Amos. Mais je te corrige tout de suite, qui CRÉAIT l'énergie indispensable au renouvellement de la vie. Mais depuis que les autres porteurs de masques et moi avons rétabli l'équilibre du monde, ces énergies de friction entre les dieux ne sont plus nécessaires. Le monde puise aujourd'hui sa force dans le cœur même de la Dame blanche!

Dans le fond de la salle de la taverne, Lolya leva la main et demanda la parole.

- Les dieux qui ont régné en maîtres sur nos destinées ont provoqué des guerres entre les peuples, expliqua-t-elle. Ils ont utilisé l'énergie des êtres vivants pour assurer leur propre puissance. Les divinités qui avaient pour tâche de protéger la création de la Dame blanche se sont détournées de leur véritable mission. Voilà pourquoi, afin de corriger cette situation, notre divine créatrice a façonné les porteurs de masques... quatre en tout, un par continent!

- Et ensemble, conclut Amos, nous avons joint nos forces afin que la Dame blanche s'incarne au centre de sa création et en prenne elle-même le contrôle. En somme, notre monde qui était anciennement gouverné entièrement par la volonté des dieux commence maintenant à prendre son autonomie... D'ailleurs, la Dame blanche désire que ses enfants, vous et moi l'appelions maintenant Mère Nature.

- Mais les dieux sont toujours présents? Et Odin, là-dedans?, insista le béorite qui n'avait pas encore eu de réponse à sa question.

- Il est toujours présent, mais plus Mère Nature gagne en force, moins Odin et les autres dieux auront de pouvoir sur nous, les êtres vivants.

Un mécontentement général envahit la salle.

- Nous, les béorites, sommes les enfants d'Odin, c'est lui qui nous a créés et nous sommes de loin sa race préférée!, fit l'hommanimal, troublé. Cela veut dire qu'à cause de toi, nous n'avons... nous n'avons plus de dieu?! Tu as trahi Odin!?

- Euh…, hésita Amos, c'est effectivement une façon de voir les choses… Pour l'instant, Odin est encore puissant, mais avec le temps, il disparaîtra complètement… il tombera même dans l'oubli! C'est l'unique façon de tuer un immortel, le faire…

Un grognement de frustration parcourant la taverne interrompit Amos. Les béorites, qui adoraient Odin depuis des siècles, ne semblaient vraiment pas contents d'apprendre cette nouvelle.

- Ne vous emportez pas!, fit Amos en essayant de calmer la salle. Votre dévotion pourra se faire à la Dame blanche, ou Mère Nature, car c'est elle la nouvelle souveraine du monde! Et croyez-moi, elle est beaucoup plus puissante qu'Odin!

La colère traversa de nouveau l'assistance.

- Abandonner notre dieu? JAMAIS!, cria le forgeron.

- Nous n'allons certainement pas délaisser celui pour qui nos ancêtres ont donné leur vie, pour nous mettre à genoux devant ta… ta Mère blanche Nature!, vociféra la patronne de la taverne. C'est hors de question!

- Mais attendez, tenta d'expliquer Amos. Le retour en arrière est impossible! Le monde change, il faudra vous adapter!

- Nous adapter à TON monde, JAMAIS!, hurlèrent plusieurs béorites d'une seule voix.

- Mais voyons, vous ne pouvez pas réagir ainsi!, fit le porteur de masques, découragé. Les dieux ont été responsables de toutes les guerres et de tous les cataclysmes de notre monde et vous voudriez encore les louer? Je viens vous dire que nous pouvons maintenant vivre libres! Sans quiconque pour nous dicter une façon de penser ou d'agir! Réjouissez-vous, vous êtes maintenant libérés de l'emprise de dieux!

Plus Amos essayait d'expliquer la situation, plus il contrariait la foule.

Des pommes, des morceaux de poulet et quelques quignons de pain atterrirent sur l'estrade où se trouvait Amos.

- Notre dieu, c'est Odin! Pas la Dame blanche!, cria un solide guerrier en dégainant son arme. À cause de toi, nous ne serons plus protégés par sa force et nous ne pourrons plus nous transformer en ours!

- Non, ne dites pas n'importe quoi!, s'indigna Amos. Ce n'est pas Odin qui vous donne la puissance de vous transformer en animal! C'est dans votre nature!

- Et puis tout le monde sait que la terre est plate et pas ronde!, grogna la boulangère. Ton histoire d'éther est complètement stupide et tu nous prends pour des imbéciles avec tes petits tours de magie!

Le niveau d'agressivité était maintenant si élevé que les béorites risquaient de tout détruire dans la taverne. Amos n'en croyait ses yeux, ni ses oreilles.

- Béorf!, demanda Amos à son ami. Fais quelque chose, je ne comprends pas ce qui se passe!

Le jeune chef bondit sur l'estrade et exigea le silence. Pour ce faire, il poussa un grognement si fort que la structure du bâtiment trembla. Une fois le silence revenu, il prit la parole.

- Bien fait pour vous et pour vos têtes de veaux!, cria-t-il d'un ton moqueur. Vous avez bien ri lorsque je me suis retrouvé avec Médousa, tête première dans la mare aux cochons, non? Eh bien, c'est à mon tour de me payer votre tête! Soyez beaux joueurs et applaudissez tous mon bon ami Amos qui vous a roulé dans la farine! Maintenant, nous sommes quittes!

- Comment, Béorf? Tout ça, c'était une plaisanterie?, demanda le forgeron, soulagé.

- Et tu as cru que la terre était ronde!, explosa le jeune chef. Voici la preuve, mes amis, qu'on n'améliore pas son intelligence ni son jugement en tapant toute la journée sur du métal!

L'agressivité qui régnait dans la taverne fut aussitôt remplacée par une hilarité générale. La blague avait été parfaitement exécutée.

- Allez, bande de nigauds!, cria Béorf, c'est la tournée du chef! Aubergiste, faites sonner les verres!

Des cris et des applaudissements retentirent pendant qu'il bondit de l'estrade. Encore une fois, Béorf leur avait fourni un divertissement fort en émotion et haut en couleur. Pour un petit village comme Upsgran, deux spectacles en autant de jours valaient bien qu'on s'hydrate le gosier.

Devant la joie et l'allégresse de ses villageois, Béorf en profita pour pousser discrètement Amos à l'extérieur du bâtiment. Médousa et Lolya se dépêchèrent de les rejoindre.

- Je te jure que tout cela est vrai, dit Amos avec conviction. Je n'ai menti sur rien! Je ne comprends pas leur réaction… j'arrive avec de fantastiques nouvelles et personne ne veut me croire! Ils sont stupides ou quoi? Dis-moi, Béorf, que tu me crois lorsque j'affirme que notre monde est rond et qu'il y a d'autres continents?

- Oui, je sais… moi, je te crois, répondit Béorf en se voulant réconfortant, mais ils ne sont pas prêts à l'entendre!

- C'est vrai que… annoncé comme ça, d'un coup et sans préparation, fit Médousa, il y a de quoi paniquer un peu! Je les comprends…

- Filons d'ici et retournons à la forteresse, proposa Lolya. Nous pourrons parler sans risquer de déplaire!

- Merci Béorf, tu viens de me tirer d'un mauvais pas, lui dit Amos. Encore un peu et la taverne explosait!

- De rien, lui souffla Béorf à l'oreille. C'est comme tu l'as fait pour moi, hier, avec l'émeraude! Chacun son tour!

Chapitre 4
Le maître parle

La nuit était tombée sur Upsgran. Là où se trouvait Amos, il était possible d'entendre la fête qui se poursuivait à l'auberge. Chaque exclamation de joie le faisait rager.

- Ce sont des créatures stupides, s'exaspéra-t-il. Je leur annonce l'arrivée d'un monde meilleur, mais eux, ils s'entêtent à ne pas vouloir l'accepter. Il faut être idiot ou faire preuve d'une très mauvaise volonté pour ne pas comprendre… dire que j'ai tout fait pour eux… que j'ai risqué ma vie et celle de mes amis pour ces demeurés de béorites.

Amos, assis sur une grosse pierre de la cour intérieure de la vieille forteresse, regardait les étoiles en poussant des soupirs de frustration. Il fulminait en se parlant à lui-même.

À quelques pas de là, Médousa, silencieuse, cherchait à capturer quelques papillons de nuit à se mettre sous la dent. Béorf et Lolya, près d'un feu de camp, cuisaient des morceaux de viande sur la braise. Sartigan, quant à lui, dormait assis le dos bien droit en face du feu.

- C'est prêt!, annonça Lolya. Venez manger!

Amos s'approcha sans grande conviction. L'exaspération pouvait se lire sur son visage.

- Il faut manger, Amos, ça te remontera!, lui conseilla Béorf.

- Pff… je n'ai pas très faim.

- Ce sont les événements de la taverne que tu as encore du mal à digérer?, blagua Lolya en souriant.

- Oui, avoua Amos. C'est précisément cela! Je… je n'arrive pas à accepter l'attitude de ces béorites! Moi qui croyais leur annoncer une bonne nouvelle… Si tous les habitants de ce monde réagissent comme eux, ma mission de porteur de masques n'aura servi à rien! J'ai fait ce travail pour mettre fin à l'emprise des dieux sur les mortels… et… et voilà ce que je reçois comme remerciement! Franchement… si j'avais su…

- Tu as fait ce que tu avais à faire, le consola Lolya, un point c'est tout. Tu dois être fier de ce que tu as accompli, c'est l'important!

- Je comprends, hésita Amos toujours déçu, mais j'ai l'impression que rétablir l'équilibre du monde n'était que la première étape de ma mission. Les humains et humanoïdes n'arrêteront pas du jour au lendemain de croire en la force des dieux. Ils continueront de les louer, de se battre pour eux et leur élèveront encore des temples. Et tout cela enverra de l'énergie aux divinités et ne fera que retarder la progression de la Dame blanche… je suis vraiment… mais vraiment découragé.

- Il faudra continuer à se battre, dit Béorf. Et moi, je suis prêt! En fait, je dois avouer que je suis bien content de continuer cette tâche avec toi, je commençais vraiment à m'ennuyer ici!

- Merci, mon ami, répondit Amos. Moi qui croyais ma mission terminée, je vois aujourd'hui qu'elle ne fait que commencer. Toute ma vie je devrai me battre contre les dieux… et cette perspective m'épuise… la charge est lourde sur mes épaules.

- Alors, partage-la!, s'exclama Médousa en avalant une poignée de petits papillons de nuit. Nous sommes avec toi afin de t'appuyer dans ta mission, Amos, et si nous portons chacun une partie de ce poids, tu y arriveras!

Les yeux toujours fermés, Sartigan sourit. L'amitié qui unissait les quatre jeunes aventuriers était belle à entendre. Entre eux, il n'y avait pas de jalousie, de manigances ou de plans cachés. Chacun voulait le bonheur de l'autre. Ensemble, ils avaient envie de changer le monde.

Le sage se leva lentement, se versa une tasse de thé très fort, puis il s'installa confortablement auprès du feu.

- Je sens qu'une histoire arrive!, lança Béorf qui adorait s'en faire raconter. Ouvrez grand les oreilles, il va parler…

- Là d'où je viens, commença Sartigan, il y avait un homme appelé Yuryley qui avait l'habitude de transporter de gros sacs de blé sur son dos. Porteur de sacs, c'était son métier! Chaque fois qu'une femme ou une riche bourgeoise achetait du blé au marché, le commerçant demandait à Yuryley de le livrer au domicile de son client. C'est ainsi qu'un jour où il était particulièrement fatigué à cause de l'accablante chaleur de la journée, il déposa sa charge au sol et implora les dieux de lui envoyer quelqu'un pour l'aider. Comme personne ne se présentait, il essaya une autre tactique et pria afin de trouver quelques pièces d'or à travers les grains de blé. Donnez-moi de l'or et j'aurai le courage de porter ce fardeau!, demanda-t-il aux dieux. Il fouilla le sac, mais n'y trouva que du blé. Les divinités avaient fait la sourde oreille…

- Jamais deux sans trois, se dit Yuryley!, l'interrompit Amos qui connaissait bien la façon très particulière que Sartigan avait de découper ses histoires.

- Exactement, Amos!, fit Sartigan avant de reprendre son récit. Alors, dans ce cas, continua Yuryley en colère envers les dieux, faites que je le renverse afin j'en sois définitivement débarrassé! Aussitôt le porteur trébucha et tout le contenu du sac se déversa dans un ravin profond. Découragé, Yuryley se releva en poussant un soupir d'exaspération. Le porteur en conclut que les dieux ne se manifestaient que pour causer des catastrophes! Entre nous, il n'avait pas tort!

- Et que devons-nous en comprendre?, demanda Médousa. Nous savons déjà que les dieux ne sont pas là pour notre bien. Vous prêchez aux convertis, Sartigan!

- Moi, je comprends, dit Amos. C'est par cette histoire, ou un récit comme celui-là que j'aurais dû commencer mes explications à la taverne. J'y suis allé trop brutalement, trop violemment, n'est-ce pas?

Sartigan sourit. Le vieux sage sut, à ce moment précis, que son travail avec Amos était terminé. Un élève capable de décoder la pensée de son maître avant même qu'il ne la formule signifie qu'il est prêt. Tous les grains de la sagesse, de la modestie et de la compassion avaient pris racine dans son cœur. Au temps maintenant de faire son œuvre afin que les pousses grandissent et donnent, un jour, des fruits.

- Si les béorites n'ont pas compris mes explications, continua Amos, c'est que j'ai mal communiqué mes idées. Contrôler les éléments, c'est une chose... convaincre une foule en est une autre. Je ne dois pas décharger sur eux la raison de mon échec, j'ai failli dans cette tâche et je dois l'accepter. Le monde ne changera pas d'un coup, car tout changement brutal provoque à tous les coups un déséquilibre!

Le vieux sage fut rempli de joie à l'écoute des paroles avisées d'Amos, mais il n'en laissa rien paraître. Son élève avait atteint une clarté d'esprit digne des chasseurs de dragon de son ancienne, mais surtout lointaine époque.

- J'ai manqué de modestie à la taverne, n'est-ce pas, Sartigan?, lui demanda Amos.

- En effet, jeune homme, répondit le maître. Au-dessus de ton auditoire, comme un savant prétentieux, tu leur as dévoilé ce que tu savais sans prendre le temps de les préparer. Comment aurais-tu réagi, toi, la première fois que tu es entré au bois de Tarkasis, si on t'avait annoncé d'un coup, sans préparation, tous les secrets que tu connais aujourd'hui sur notre monde?

- Je ne l'aurais pas cru, avoua Amos en rigolant. J'aurais fait exactement comme eux à mon égard et lancé des tomates aux fées.

- Alors, tu vois?!, s'exclama Sartigan en masti-quant un morceau de viande. Dans ce cas, tu dois admettre que ces béorites avaient bien raison de te rabrouer! Ce n'est donc pas eux qui doivent être la source de ta déception et de ton inconfort. Mais tu es déjà arrivé toi-même à cette conclusion, tu n'as pas eu besoin de moi pour t'en rendre compte. Voilà qui est tout en ton honneur, jeune maître!

Les quatre amis se regardèrent avec circonspec-tion. Avaient-ils bien entendu « jeune maître »?

- Cessez de vous demander si ma langue n'a pas fourché, continua le sage. Amos vient tout juste de terminer sa formation à mes côtés, il n'est plus mon élève.

- Je ne comprends pas, Sartigan, dit Amos, vous ne voulez plus de moi?

- Mais non!, s'exclama-t-il. Je veux bien être ton ami, mais je ne suis plus ton maître. Tu possèdes en toi toutes les qualités nécessaires pour enseigner à ton tour! Tu es maintenant un « jeune maître » et tu n'as plus besoin de moi pour te guider.

- Et nous?, demanda Béorf. Nous sommes prêts aussi?

- Tous les trois, vous avez accompli de grandes choses, mais vous avez encore beaucoup à apprendre, expliqua Sartigan. Pour moi, la meilleure façon de parfaire votre éducation demeurera toujours l'aventure. Vous avez encore beaucoup à réaliser et Amos saura vous guider dans la voie du dépassement.

- Ne me dites pas que vous en faites notre nouveau maître!?, s'étonna Béorf. Amos est mon ami, je ne pourrai jamais l'appeler « maître »!

- Non, car Amos est encore trop jeune pour avoir des disciples, nuança Sartigan. Il a avant tout besoin de compagnons pour l'aider à grandir en sagesse. Et vous êtes ces camarades!

- Dans ce cas, avez-vous un dernier enseignement pour moi, maître Sartigan?, demanda Amos avec émotion.

- Oui. Rappelle-toi toujours, jeune maître, qu'un homme parle davantage par ses actions que par sa bouche. Aussi, que l'odeur de la bonne cuisine donne de l'appétit et que si nous continuons de parler, les plats qui cuisent seront bientôt immangeables! Hummm, l'odeur de cette soupe m'enchante! Je peux en avoir un bol Lolya?

- Oui... bien sûr, avec plaisir!

- Bien parlé! Que de sages paroles, admit Béorf. Moi, je dis que celui qui s'occupe bien de son bedon est à coup sûr un homme sage! J'ai une gourde d'hydromel juste ici pour arroser le repas!

- Si tel était le cas, Béorf, tu serais le plus sage de nous tous!, le taquina Médousa.

Rapidement, les gamelles s'emplirent de victuailles et le pain fut partagé.

- Si je comprends bien, dit finalement Amos pour conclure, je ne dois pas essayer de convaincre quiconque d'abandonner ses dieux. Je dois simplement continuer d'accomplir ma tâche. Ma mission était de rétablir l'équilibre du monde, elle est aujourd'hui de maintenir cet équilibre! Je dois protéger ce que les autres porteurs de masques et moi avons réussi, n'est-ce pas?

Sartigan fit mine de ne pas avoir entendu les inquiétudes de son ancien élève. Ce n'était plus à lui de répondre à ces questions, mais plutôt à Amos de trouver lui-même les réponses.

Devant le mutisme de Sartigan, le jeune maître comprit qu'il était maintenant seul sur son chemin, sans quiconque pour le guider. Tout d'abord, cette pensée l'inquiéta puis elle finit par le ravir. Une étape importante venait d'être franchie, une nouvelle vie l'attendait.

Inspiré par ses pensées, Amos fouilla la poche arrière de son pantalon et il en ressortit un magnifique pendentif composé d'une pierre d'où émanait une pâle lueur. Il la présenta aussitôt à ses amis.

- C'est beau!, fit Médousa en s'approchant de l'objet. Cette pierre est presque aussi belle que l'émeraude que Béorf m'a offerte!

- Voilà! Vous avez devant les yeux notre prochaine aventure!, annonça Amos. Dans ce bijou, je crois qu'il y a une partie de l'âme d'un ancien porteur de masques, un elfe noir nommé Arkillon. Si nous allions rendre ce bijou à son peuple, dans sa forêt natale?

- Enfin, un peu d'action qui se présente!, s'exclama Béorf dans un soupir de soulagement. Moi, je suis partant! Et j'espère qu'il y aura de la bagarre!

- Tu sais bien que nous aussi, nous sommes prêtes!, dit Lolya en prenant Médousa à témoin. Notre « jeune maître » a beaucoup trop besoin de notre protection!

- En effet, les gorgones sont toujours prêtes! Surtout pour s'occuper d'un « jeune maître » encore bien naïf!

Béorf explosa de rire.

- Alors, je crois bien que nous voilà relancés!, se réjouit Amos. Quand tu auras fini de te moquer de moi, Béorf, tu crois que Flag Martan Mac Heklagroen pourra nous transporter jusqu'au pays d'Atrum?

- Je sais qu'il est très occupé avec son entreprise et le développement de ses routes aériennes, mais pour toi, le rassura Béorf, il trouvera du temps! D'autant plus qu'il vient tout juste de terminer la construction d'une flagolfière de luxe avec nacelle fermée munie d'un service de cuisine toute la journée! Je suis certain qu'il voudra te la faire essayer.

- Quand Béorf mange, son vertige disparaît!, ajouta Médousa. Nous ferons un meilleur voyage!

- Je n'ai pas le vertige, grogna le béorite. De petits malaises parfois, mais pas de…

- Ne recommence pas Béorf!, l'avertit Médousa.

- Pff…, fit le béorite, vexé.

- Si on voit Flag, j'en profiterai pour lui demander d'ajuster mes lurinettes, ajouta Médousa, elles en ont bien besoin!

Pendant que les jeunes aventuriers s'excitaient en planifiant leur nouvelle aventure, Sartigan avala une grande rasade d'hydromel et murmura, sourire aux lèvres :

- Voilà une bien belle journée qui se termine.

Puis, il rota bruyamment.

Chapitre 5
Béhémoth et Léviathan

Dans les montagnes situées au nord du désert des miracles, la titanesque porte des Enfers était entrebâillée. Depuis le passage d'Amos Daragon et des cavaliers béorites du Vahalla, la voie vers les mondes obscurs des ténèbres était demeurée libre d'accès. Autrefois gardée par une armée de démons assoiffés de sang, il n'y avait plus aujourd'hui sur les dalles de marbre noir de l'entrée que des rats pustuleux et de nombreux cafards s'y agitant. L'air vicié et nauséabond de ce lieu maudit était irrespirable à des lieues à la ronde. Il était impossible pour quiconque, qu'il soit humain, humanoïde ou animal, de l'inhaler sans tomber gravement malade.

Cette porte à double battant, aussi haute que dix hommes, repoussant la lumière du soleil et exhalant le mal, ne servait plus à rien. De nombreuses légendes avaient couru à son sujet, des histoires qui depuis son ouverture avaient atteint des proportions invraisemblables. Des habitants des royaumes avoisinants craignaient qu'elle fût en mesure d'aspirer les montagnes et pourquoi pas, le monde en entier. D'autres prophètes de malheur pensaient exactement le contraire. Ils hurlaient que les Enfers se déverseraient par cette porte en un épais liquide noir capable d'étouffer la vie. Selon eux, la fin du monde était proche et chacun avait avantage à prier les dieux pour le salut de son âme. Mais en vérité, elle avait perdu toute sa force et bien qu'elle eût encore quelques pouvoirs ténébreux, ceux-ci ne représentaient aucun danger.

- C'est ici, mon amour… je vois l'entrebâillement!, chuchota une voix dans le hall obscur des Enfers. Enfin, nous avons trouvé la sortie!

- Comment aurais-je fait sans toi, mon valeureux champion?, répondit une voix douce et mélodieuse. Heureusement que tu étais là pour nous guider!

- Tu es trop gentille, ma douce, je n'ai fait que suivre mon instinct…

- Sortons maintenant, tu veux bien?

- Oui, je pousse la porte un peu pour nous faire plus d'espace.

Dans un grincement à donner la chair de poule, l'une des portes bougea légèrement, juste assez pour laisser passer deux créatures cauchemardesques.

L'une de ces bêtes, deux fois haute comme un homme et dont la tête surdimensionnée était semblable à celle d'un bison, fit un pas dans la lumière du soleil.

- J'avais oublié ces chauds rayons, pensa-t-elle en appréciant la douce caresse.

Cet être surnaturel portait un gigantesque marteau de guerre ainsi qu'une armure composée de plaques de métal fixées directement dans sa chair par de longues vis à métaux. Cornu, couvert de longs poils crasseux et portant dans le nez un anneau rouillé, il s'ébroua en bâillant de sa grande gueule puante aux dents pourries.

Derrière lui, une créature tout aussi impressionnante lui emboîta le pas sous les premiers rayons matinaux. Recouvert d'une longue cape bleue à capuchon dévoilant une terrible gueule saillante de requin, le monstre portait une robe de magicien et un long bâton de bois tordu. Recouverte d'écailles, la peau de cet humanoïde était aussi froide et solide que la pierre. Le bout de sa longue queue dépassant de ses vêtements portait le dard suintant d'un poison de couleur pourpre.

- C'est bon de revoir le soleil, dit le monstre à tête de bison à sa compagne.

- Ça faisait longtemps, mon beau Béhémoth, trop longtemps, répondit d'une voix enchanteresse le monstre à la gueule de requin.

- Si tu savais, ma belle Léviathan, comme j'en avais marre de vivre dans la froideur des ténèbres… aujourd'hui, je me sens… comment te dire, mon amour… je me sens revivre!

- Peut-être me cueilleras-tu des fleurs, mon doux chéri, afin de célébrer ce jour?

- Dès que j'en croiserai, douce Léviathan, je t'en préparerai un bouquet!, assura Béhémoth.

Les créatures infernales prirent un moment pour se reposer et admirer le paysage.

- Les mortels appellent MATIN cette période de la journée, signifia Léviathan à son amoureux. C'est un joli nom, n'est-ce pas?

- C'est un mot plein de fraîcheur, mon aimée… un mot qui te ressemble!

- N'arrêteras-tu jamais, grand séducteur, de me complimenter?, rougit Léviathan.

- J'arrêterai à ma mort, ma tendre moitié, et comme je suis un immortel…

Les deux amants explosèrent d'un rire aussi sadique que maniaque. Dans ce duo de voix acides et stridentes, on pouvait facilement distinguer les fausses notes de la démence, du délire et de la déchéance. En plus de leur aspect repoussant, ce couple avait un déséquilibre en commun, la perversité.

Après avoir bien rigolé, Béhémoth se frotta les mains, puis il se retourna vers son amoureuse.

- Maintenant, mon amour, nous avons une tâche à accomplir! As-tu la semonce afin que je l'affiche?

- Mais oui, beau Béhémoth, la voici.

Léviathan lui tendit un rouleau contenant des dizaines d'affiches d'un épais papier brun taché de petits points noirs. Des gouttes de sang séché.

Béhémoth prit un marteau, quelques gros clous de fer et fixa une de ces affiches sur la porte des Enfers. Le son de ses coups sur le métal retentit comme un glas à travers toute la contrée.

On pouvait y lire, tout juste en bas du titre CONDAMNÉ PAR LES DIEUX et d'un dessin représentant très fidèlement le visage d'Amos Daragon, ces quelques mots : Unanimement, les dieux condamnent le fanatique et hérétique Amos Daragon ainsi que tous les autres porteurs de masques à l'enfermement perpétuel dans la prison du TARTA-RE. Tous ceux et celles qui porteront aide au fugitif seront exécutés sans procès.

- Tu crois que nous la retrouverons facilement, cette petite ordure?, demanda Léviathan en posant ses doigts froids et gluants sur la représentation du visage d'Amos. Il me donne envie de lui passer les mains autour du cou et de l'étrangler. Tu crois que nous pourrions le ramener mort? Ce serait si plaisant de l'exécuter, n'est-ce pas?

- Oui, en effet, mon trésor, approuva Béhémoth, mais selon moi, la mort lui serait une délivrance! L'enfermement dans la prison du Tartare lui procurera tellement plus de souffrance qu'il serait dommage de l'en priver.

- Il est dangereux, ce petit?

- Oui, redoutable même! Selon ce que j'en ai appris, il contrôlerait les éléments.

- L'éther aussi?

- Oui, les cinq éléments…

- Intéressant, ce crapaud, sourit Léviathan. Si j'avais eu des enfants, j'aurais aimé qu'ils aient cette puissance!

- Qui sait, peut-être pourrons-nous l'adopter!, fit Béhémoth dans un éclat de rire.

- Quelle charmante idée!, rigola aussi Léviathan d'un fou rire monstrueux.

Béhémoth et Léviathan, quoique monstrueux, étaient très amoureux l'un de l'autre. Ils s'étaient rencontrés dans les Enfers, mille ans auparavant, et s'étaient tout de suite mariés devant l'autel des grands démons de la Cité infernale. C'est d'ailleurs dans cette ville qu'ils avaient élu domicile, dans un grand manoir de marbre noir où tous leurs serviteurs étaient de mauvais génies aussi laids que leurs maîtres. Maire de la ville depuis des siècles, Béhémoth était l'une des créatures les plus puissantes du dernier niveau des Enfers et sa femme, Léviathan, le secondait dans toutes ses décisions. Au moins aussi puissante que son mari, l'horrible femelle était issue de l'union entre un très grand démon et une fée sorcière de l'Ancien Monde.

- Je suis si excitée mon amour!, fit Léviathan en sautant de joie. Nous aurons enfin des vacances comme nous les aimons! Je commençais à être fatiguée de notre petit quotidien dans la Cité infernale. Cette petite aventure nous fera un grand bien! Déjà, je me sens revivre!

- Tu as bien raison, ma douce femme, dit tendrement Béhémoth… les moments que nous partagerons ensemble seront sans doute extraordinaires! Je sens qu'il y aura de nombreuses villes à mettre à feu et à sang, beaucoup d'humains à torturer et d'innombrables vies à détruire! Ce sera… comme dans notre jeunesse, lorsque nous étions fous, malfaisants et sans aucun remords.

- Mais, je te signale que nous sommes toujours sans remords, mon chéri! En ce qui concerne notre cruauté légendaire, ne t'en fais pas! Le goût du sang te ravivera!

- Oui…, soupira Béhémoth en rêvassant, le goût du sang des mortels sur la langue est un des grands nectars de ce monde!

- Moi, j'aime bien le sang d'elfe aussi, je le trouve plus… comment dire, plus rond en bouche! Tu ne trouves pas?

- Peut-être, mais c'est le petit arrière-goût de vanille qui me déplaît chez l'elfe, alors que l'humain, lui, a plus de viscosité, ce qui lui confère naturellement plus de corps! Mais enfin, ma douce, chacun nos goûts!

- Oui… mais, trêve de conversation, mon beau guerrier, il faudrait penser à prendre la route. Si nous désirons mettre la main sur cet Amos Daragon, il vaut mieux s'y mettre tout de suite, non?

- En effet, nous avons encore bien du boulot devant nous!, approuva Béhémoth. Quelle direction?

- Partons vers le nord, proposa Léviathan. Si nous avons de la chance, peut-être verrons-nous de la neige durant notre voyage!

- Je te le souhaite mon amour, mais à ce temps-ci de l'année, je crois que les flocons demeureront cachés!

Béhémoth et Léviathan se mirent donc en marche et traversèrent lentement les montagnes escarpées de cette contrée sans vie. Ils ne croisèrent aucune plante qui ne soit desséchée ni même un rongeur en bonne santé. Sur ce territoire, tout avait tendance à dépérir rapidement. À part quelques insectes, les plus résistants de leur race, les créatures infernales ne trouvèrent rien à se mettre sous la dent.

Il leur fallut deux bonnes journées de marche avant que la vie commence à tout doucement se manifester.

- Regarde ce que je vois, dit Léviathan en pointant une toute petite mouche de son horrible doigt déformé. Les effets de la porte des Enfers se dissipent enfin.

- Oh, elle est jolie!, s'émerveilla Béhémoth.

Contents de cette visite inattendue, les deux monstres prirent une pause pour admirer le moucheron s'amusant à tourner autour de la tête de Béhémoth.

- Elle est drôle, n'est-ce pas?, sourit-il en exhibant ses dents pourries. Allez! Vole petite, vole!

Après quelques minutes de performance, l'insecte se trouva fatigué et décida de se poser afin de prendre un peu de repos. La pauvre mouche choisit nonchalamment l'épaule de Léviathan pour reprendre son souffle. Dès qu'elle se fut posée, elle eut à peine le temps de sentir la brûlure acidulée de la peau de son hôte qu'elle se consuma d'un coup!

- Oups!, fit Béhémoth en rigolant. Elle ne savait pas que ta sueur est corrosive!

- Elle l'aura appris à ses dépens!, se moqua Léviathan. La malheureuse avait confiance en moi et pensait être en sécurité sur mon épaule. Voici la preuve que, de nos jours, on ne peut faire confiance à personne, surtout pas à nous!

- Bien dit, belle Léviathan…

Une odeur d'herbes fraîches et de foin, le tout enrobé dans le parfum sucré des fleurs sauvages parvint aux narines des monstrueuses créatures. Ensemble, ils posèrent les yeux sur une grande vallée qui, tout en bas des montagnes, s'étendait à perte de vue.

- Oh, regarde au loin!, s'émerveilla Léviathan. Tu vois la grande plaine, c'est magnifique! Et toutes ces odeurs… tu les respires, n'est-ce pas? Il y a si longtemps que je n'ai pas humé les émanations de la terre que… que j'en suis renversée!

- C'est enchanteur!, s'exclama Béhémoth. Exaltant même! Je comprends bien ce que tu m'expliques, car moi aussi, j'en ai des vertiges! Les mortels vivent très peu de temps, mais ils ont au moins un monde de sensations à expérimenter au cours de leur séjour. Pour cela, je les envie parfois… Douce Léviathan, mon précieux trésor, tu crois qu'il y a des êtres vivants dans cette plaine?

- Clairement, oui! Peut-être pas de bons humains bien gras, mais il y a certainement des animaux! Là-bas, dans ces herbes longues, il se cache beaucoup plus de vie que tes yeux ne peuvent en voir, mon adorable Béhémoth!

- J'espère, répondit-il, car j'ai vraiment très faim… ces longues journées de marche m'ont creusé l'appétit! Je me sens d'attaque pour un festin!

- OH! Regarde! Regarde là-bas!, s'excita Lévia-than. Je vois une colonne de fumée à l'horizon! C'est bon signe... il s'agit peut-être d'un feu de camp! Là où il y a du feu, il y a de la viande, c'est bien connu!

- Tu as de bons yeux, mon aimée, car pour ma part je ne vois rien!

- Fais-moi confiance...

- Avant d'y aller, devrions-nous placer une autre affiche ici?, demanda Béhémoth. Sur cet arbre mort, peut-être?

- Oui, répondit Léviathan. Ensuite, nous irons manger! Dépêche-toi, j'ai faim!

Une fois que Béhémoth eut terminé son travail, les créatures infernales dévalèrent la montagne en direction de la plaine. L'affiche, bien clouée sur l'arbre, fusionna lentement avec l'écorce. Si bien qu'elle imprégna son message dans le bois comme s'il avait été marqué au fer rouge. Tel un amas de poussières, le papier se dissipa ensuite dans l'air.

Quelques instants plus tard, du haut des nuages, descendit un hommoiseau de la race des faucons. Petit, le nez pointu et les yeux perçants, il se posa en face de l'arbre. Intrigué, il regarda tout d'abord autour de lui afin d'assurer sa sécurité, puis s'approcha pour lire les inscriptions sur le tronc. Tout de suite, il reconnut le visage d'Amos Daragon. Le porteur de masques était déjà passé à la Cité de Pégase au moment où lui aussi s'y trouvait. Ils ne s'étaient pas directement rencontrés, mais comme

Amos était devenu une véritable vedette au sein de communauté des hommoiseaux, tout le monde le connaissait plus ou moins. On chantait ses exploits dans tous les nids et sur tous les perchoirs.

L'hommoiseau fut très surpris de découvrir la condamnation qui pesait sur les épaules du porteur de masques. Il avait suivi les deux démons depuis leur sortie par la porte des Enfers et s'était questionné sur leurs motivations. Maintenant, il avait la réponse à ses interrogations.

- Je vais les espionner encore un peu, pensa-t-il. Ensuite, je ferai mon rapport au roi Minho. Je sens qu'il n'appréciera pas beaucoup cette intrusion sur son territoire.

D'un coup d'aile, il s'envola prestement vers le ciel.

Chapitre 6
Le roi des plaines

Minho, le gigantesque minotaure, travaillait aux champs avec ses semblables. Une faux à la main, il coupait vigoureusement le foin dont se nourrirait son peuple une fois l'hiver arrivé.

- Grand respect pour notre roi!, dit un cultivateur travaillant à ses côtés. La force du Titan habite notre bienfaiteur! Ma famille apprécie ton aide, avec respect, merci.

Le souverain en sueurs le remercia de ces bons mots d'un vigoureux signe de tête.

Roi des hommes-taureaux depuis quelques années, Minho était un souverain respecté et aimé de tous. Traitant toujours son peuple avec bienveillance et dignité, il s'était assuré de leur part une loyauté à toute épreuve. Contrairement aux autres rois qui l'avaient précédé, Minho demeurait près de ses gens et partageait les tâches quotidiennes avec eux. Ainsi, il n'était pas rare de le voir prêter main-forte aux forgerons, aux agriculteurs et même aux boulangers de sa capitale. En partageant leur quotidien, il pouvait prendre le temps d'écouter les préoccupations de chacun pour mieux répondre ensuite à leurs attentes.

Les hommes-taureaux habitaient sur les Vertes Plaines depuis des milliers d'années et ceux-ci entretenaient peu de relations avec les royaumes environnants. Cependant, depuis quelques lunes, une flagolfière de commerce les reliait à la Cité de Pégase et au royaume de Berrion. Ils pouvaient ainsi vendre leurs produits sur d'autres marchés et profiter des spécialités provenant des hommoiseaux et des humains. Ces échanges, rendus possibles grâce à Amos Daragon, avaient également rapproché les peuples. Junos en avait profité pour organiser, à Berrion et dans tout le royaume, une grande exposition itinérante sur l'artisanat et la culture des minotaures, alors qu'à la Cité de Pégase, des groupes de chanteurs et de danseurs, interprétant les chants traditionnels khoomiis des Vertes Plaines, se donnaient régulièrement en spectacle. Ainsi, grâce aux échanges culturels, les peuples apprenaient à se connaître tout en appréciant leurs différences.

- C'est le courage qui nourrit les guerres, disait souvent le sage Sartigan à ses élèves, mais c'est la peur qui les fait naître. Plus nous connaîtrons les mœurs des autres races vivant autour de nous, moins celles-ci nous feront peur. C'est à cette seule condition que s'établira une paix durable entre les nations.

Cette philosophie était aussi partagée par Minho et tous les jours, il essayait de la mettre en œuvre.

En tant que nomades, les minotaures se déplaçaient plusieurs fois pendant l'année et il était coutume de voir leur capitale, constituée de centaines de yourtes, être déplacée sur des lieues de distance. Ces migrations constantes, difficiles à suivre pour la flagolfière qui chaque fois devait retrouver la ville avant de se poser, faisaient partie de la culture des hommes-taureaux. Heureusement, les pilotes luricans de l'équipe de Flag Martan Mac Heklagroen avaient appris à composer avec cette particularité.

Cependant, tous les minotaures des Vertes Plaines n'habitaient pas dans cette grande capitale mobile composée de tentes rondes. Plusieurs préféraient la paix et la quiétude des petits clans où les déplacements s'avéraient plus faciles et la vie, beaucoup plus simple. Bien que tous les minotaures fussent capables de se défendre, il arrivait plus fréquemment que ces peuplades soient la cible d'ennemis. L'armée de Minho, toujours disposée à leur porter secours en cas de besoin, était de jour comme de nuit aux aguets.

- Respect au grand roi, chef de nos armées et souverain apprécié de tous, lança une autre voix tout près de Minho. Je demande audience auprès de ta royale présence.

Il s'agissait de l'un des généraux de division de l'armée. Concentré sur sa tâche, le souverain sursauta. Minho ne l'avait pas entendu arriver. À sa grande surprise, il constata que son général n'était pas venu seul, mais qu'il comptait avec lui une dizaine des meilleurs guerriers du pays.

Lentement, Minho essuya de son avant-bras la sueur qui perlait sur front, posa sa faux et indiqua d'un petit mouvement de tête qu'il était prêt à écouter.

- Respect à mon souverain, reprit le visiteur, car j'apporte de mauvaises nouvelles…

- Respect à toi, général estimé de nos armées, fit Minho. Ton roi écoute avec attention… parle sans crainte, mon ami.

- Grand respect à notre roi, je t'annonce que la mort foule actuellement nos terres et qu'elle a fait de nombreuses victimes…

- Que nos frères reposent en paix, dans le respect de la Terre mère, soupira Minho. Parle encore, raconte sans gêne, je veux connaître tout ce que tu sais, partage ta parole.

- Grand roi des Vertes Plaines, respect pour ton ouverture… que mes mots, miroirs de la vérité, ne blessent pas ton âme. Le peuple de ceux qui volent très haut a rapporté à nos hommes du sud l'arrivée de deux monstres provenant de la porte qui mène aux ténèbres éternelles. Il s'agit d'un guerrier et d'un mage, aussi puissants que violents, dont nous ne connaissons pas les motivations.

- Grand respect guerrier, et qu'ont-ils fait à nos frères?, demanda anxieusement Minho.

Le minotaure baissa la tête et prit un air affligé.

- Respect pour ton écoute mon roi, car ils ont complètement décimé le clan de la Lune rouge… il ne reste personne, pas même un enfant. Ils les ont torturés et dévorés… vivants. Sauf respect, ces deux êtres sont d'une extraordinaire puissance.

- Grand respect pour tes mots, mais le clan de la Lune rouge est composé de féroces guerriers, les meilleurs que je connaisse! Comment ces monstres ont-ils pu les tuer aussi facilement? Je crois ta parole, mais j'ai foi dans la force de la Lune rouge! Je me refuse à croire qu'ils sont tombés au combat!

- Sauf respect, j'aimerais répondre à cette question, mais je ne connais pas la réponse. Je t'apporte la nouvelle, souverain, mais mes yeux n'ont pas vu l'horreur du massacre.

- Respect mon ami... mais dis-moi, ces monstres que tu prétends sortis des mondes souterrains piétinent-ils encore nos terres? Sont-ils toujours dans les Vertes Plaines?

- Sauf respect, oui... et ils marchent vers le nord. Le peuple de ceux qui volent très haut nous tient au courant de leurs déplacements. Ce sont de précieux alliés dont la parole est aussi franche que celle d'un minotaure.

- Grand respect!, fit Minho. Alors, voici le plan que je propose. Tout d'abord, des éclaireurs partiront immédiatement pour avertir du danger les clans qui pourraient se trouver sur la route de ces ennemis. Par ordre royal, nos frères doivent plier bagage et s'installer pour un temps dans la capitale, sauf respect, ils devront obéir.

Trois des guerriers qui accompagnaient le général firent immédiatement un pas en avant. Afin de signifier à leur roi qu'ils étaient prêts à partir à l'instant pour exécuter cette mission, ils posèrent un genou au sol.

- Très grand respect!, lança Minho devant les volontaires. Si vous croisez les créatures, évitez le combat. Votre tâche est de sauver des vies, elle n'est pas de jouer les héros. Mes ordres, accomplissez-les maintenant! Bonne chance!

Tels trois fauves attirés par l'odeur d'une antilope, les colosses déguerpirent à vive allure.

- Maintenant, respect je demande pour aller revêtir mon armure, dit Minho à ses guerriers.

- Respect au roi, répondirent-ils tous en chœur.

- Respect à vous, car nous partirons ensuite observer les restes du campement du clan de la Lune rouge. Je veux voir pour comprendre, et prier pour le repos de mes frères...

Minho posa la faux sur son épaule, s'excusa de son départ auprès des cultivateurs de foin et courut en direction de la capitale. Accompagné de ses guerriers, il pénétra en trombe dans sa yourte royale et demanda prestement à ses serviteurs de lui apporter son armure. Ceux-ci obéirent sans rechigner.

Entièrement fabriquée d'un cuir rigide et très épais, l'armure du roi était recouverte de petites plaques d'or aux motifs variés. Minho enfila ensuite deux protège-cornes en fer et saisit un marteau de guerre en bois noueux peint par les enfants minotaures de son royaume. Les dessins sur son arme, malhabiles et grossiers, contrastaient avec son armure parfaitement fabriquée par ses meilleurs artisans, mais Minho y tenait. Chaque coup distribué à un ennemi lui rappelait ainsi qu'il se battait pour l'avenir des enfants, de son peuple, aussi pour les plus faibles de sa race.

- Je me dois de rester fort afin de montrer la voie, se disait-il souvent, car un roi faible affaiblit le peuple le plus fort.

Une fois prêt, Minho remercia ses serviteurs, puis il se mit en route avec ses guerriers en direction du campement de la Lune rouge. À cause de leur grande taille et de leur poids trop important, les hommes-taureaux n'avaient pas de monture et tous leurs déplacements se faisaient à la course. D'une endurance peu commune, ils pouvaient galoper des jours entiers sans ressentir la fatigue.

Tel un troupeau de bêtes sauvages, le souverain et ses hommes martelèrent la terre pendant de longues heures avant d'atteindre leur but. À leur arrivée, ils découvrirent le résultat du massacre. L'éclaireur du peuple de ceux qui volent très haut n'avait pas menti, la scène était horrible à voir. Tellement que Minho, qui pourtant en avait vu d'autres, baissa la tête et versa quelques larmes.

- Les ennemis qui s'en prennent aux enfants ne méritent aucune pitié, murmura-t-il comme dans une prière. Que votre âme repose en paix, mes courageux petits...

Tiraillés entre la vengeance et l'incompréhension, les guerriers minotaures se recueillirent avec leur souverain.

Une fois le choc de cette terrible découverte encaissé, les hommes-taureaux commencèrent à rassembler les corps au centre du campement afin de préparer un bûcher cérémonial. C'est alors que Minho remarqua une grande affiche recouverte de taches de sang, clouée au poteau d'une yourte saccagée du campement. Avec étonnement, il y reconnut le visage de son ami Amos Daragon, puis réussit à déchiffrer les mots CONDAMNÉ PAR LES DIEUX, juste en haut de l'illustration. Malgré tous ses efforts pour comprendre la suite du message, Minho, qui avait du mal à lire la langue des humains, ne le décoda pas.

- Sauf respect, songea-t-il, je crois bien que mon ami est dans le pétrin... ainsi, Amos a reçu une condamnation divine.

Soudainement, alors que Minho allait demander à ses guerriers si l'un d'entre eux savait lire l'écriture humaine, les lettres de l'affiche changèrent de forme et devinrent des runes parfaitement lisibles pour un minotaure. Le titre devint alors : SANS RESPECT, LES DIEUX CONDAMNENT puis le message s'éclaircit de lui-même. L'affiche s'adaptait à la langue et à l'écriture de son lecteur.

Sans respect aucun, les dieux ont décidé de façon unanime et sans équivoque que l'homme sans foi nommé Amos Daragon, ainsi que ceux de sa race magique et maléfique, seraient privés de liberté pour le reste de leurs jours. Sans respect, les barreaux de la prison du Tartare les attendent. Ceux qui, avec respect, porteront secours à ce sans respect, seront aussi considérés comme des sans respect et mourront dans la honte de l'exécution.

- Avec respect, grand roi, cet humain… ce Daragon, n'est-il pas un de vos amis?, demanda un des guerriers.

- Avec très grand respect, il l'est!, répondit Minho sans hésitation. Je lui dois ma liberté et aussi ma vie. Amos Daragon possède le cœur courageux du minotaure et devant lui, je plierais le genou s'il était là.

- Avec tout mon respect, qu'allez-vous faire maintenant que vous connaissez la condamnation des dieux?, fit un second guerrier. Nous devons nous conformer à la volonté des divinités, n'est-ce pas?

- Ces dieux ne sont pas les miens, et avec respect, ils ne sont pas les vôtres non plus!, fit Minho. Seule la Terre mère parle au peuple des hommes-taureaux et personne d'autre. Je ne reconnais pas l'autorité des immortels et je n'ai pas confiance en leur jugement. Voilà pourquoi, sauf respect, je crache sur cette condamnation!

Les guerriers approuvèrent les sages paroles de leur souverain. La race des minotaures n'accepterait pas qu'on la menace, ni qu'on lui donne des ordres. La liberté étant une des valeurs premières de ce peuple, le général saisit l'affiche et la déchira en deux.

- Avec respect, comme mon roi, je refuse d'obéir aux dieux, dit-il. Les minotaures ne sont pas des marionnettes; sans respect, je méprise les immortels!

La troupe entama ensuite un chant de guerre et une danse khoomii qui fit trembler la plaine.

- Appelle le peuple de ceux qui volent très haut, j'ai besoin de m'entretenir avec un des leurs, demanda Minho à son général à la fin de la chanson.

Le guerrier minotaure saisit un grand cor accroché à sa ceinture et y souffla de toutes ses forces. Une longue plainte, ressemblant à celle d'un bœuf apeuré, déchira le silence du camp des sacrifiés. Les yeux fixés sur le ciel, les hommes-taureaux virent apparaître un tout petit point noir entre les nuages. Descendant vers eux, il se fit de plus en plus gros pour enfin se révéler entièrement.

Un hommoiseau, de la taille d'un enfant humain de cinq ans et ayant l'apparence d'une buse à queue rousse, se posa sur l'avant-bras de Minho.

- Tu as appelé, grand roi?, dit la créature d'une voix de crécelle. Mon peuple te sert, que puis-je pour toi, oh ami des vents et bienfaiteur des vastes plaines?

- Grand respect, membre du peuple de ceux qui volent très haut, j'ai une mission pour toi!

- Parle, demande et tu seras exaucé, majesté des herbes hautes!

Minho tendit les deux parties de l'affiche déchirée à l'hommoiseau.

- Respect frère à plumes! Porte ceci au nord, à mon ami Amos Daragon. Je crois que tu le trouveras dans la ville des hommes que l'on appelle Berrion. S'il est absent, remets-le à son attention, avec grand respect, au roi Junos. Lui saura comment le joindre.

- Ce sera fait, souverain de ceux qui aiguisent leurs cornes, répondit la créature aviaire. Autre chose pour te plaire?

- Oui, avec respect, parle-moi des monstres qui ont fait le carnage du clan de la Lune rouge. Est-ce toi qui les as vus de tes yeux perçants?

- Oui, maître de ceux qui font trembler la terre, je les ai vus comme je te vois! Mais avant de te parler des assassins de ton peuple, sache que tes trois guerriers sont arrivés à temps dans le nord et qu'ils ont réussi à déplacer douze clans qui se trouvaient sur la route des tueurs… tes minotaures ont sauvé des centaines de vies! Sois loué, grand souverain des Vertes Plaines, pour ta vigilance!

- GRAND RESPECT POUR MINHO!, se réjouirent les guerriers tous en cœur. GRAND RESPECT!

- Grand respect à nos trois courageux guerriers, ils seront récompensés!

- GRAND RESPECT À NOS FRÈRES!, reprirent en chœur les minotaures.

L'hommoiseau interrompit les exclamations de joie pour répondre à la question de Minho.

- Ne t'avise pas de chasser, grand souverain, ni de poursuivre ou d'attaquer ces monstres des Enfers, car ils ont en eux la puissance pure du mal et des ténèbres! Je les ai vus combattre et sois certain qu'aucune armée ne peut les vaincre! Les guerriers du clan de la Lune rouge n'ont pas tenu plus de deux respirations contre eux… au combat, ces monstres sont d'une force et d'une adresse spectaculaires! Écoute mes conseils, grand roi, et demeure modeste si tu ne veux pas compromettre l'avenir de ton peuple.

- Peux-tu me dire autre chose sur eux? Parle, ami, je t'écoute avec respect, demanda Minho.

- Les deux démons échappés de la porte des ténèbres foulent encore tes vastes plaines! Comme je te l'ai dit, il n'y a plus de danger pour les tiens, car les clans ont été déplacés. Néanmoins, ces monstres traversent ton royaume et tu dois t'en méfier! Moi et le peuple de ceux qui volent très haut les avons à l'œil. Nous t'avertirons s'ils modifient leur trajectoire et décident de marcher vers ta capitale. Heureusement, ces créatures sont très lourdes et elles avancent lentement. De plus, elles ne se doutent pas qu'elles sont observées.

- Nous avons au moins cet avantage sur ces bêtes… grand respect, mon ami.

- Nous sommes avec toi, roi des herbes folles, lui confia l'hommoiseau. Du haut des nuages, nous veillons sur nos camarades minotaures.

- Grand respect, frère ailé… Tes sages conseils ont été entendus! Vole maintenant à la rencontre des humains! Amos Daragon doit savoir qu'il est pourchassé.

L'affiche roulée entre ses serres, l'hommoiseau s'envola vers le royaume de Berrion.

Chapitre 7
Vers le pays d'Atrum

Amos et ses compagnons volaient depuis quelques jours dans la flagolfière de leur ami Flag Martan Mac Heklagroen, le lurican. Celui-ci, heureux de revoir son ami le porteur de masques, avait réquisitionné de sa flotte de dirigeables le plus beau et luxueux modèle. Il s'agissait d'un très gros véhicule aérien dont la nacelle ressemblait au ventre bombé d'un dragon en plein vol. Grandement inspiré de Maelström, il présentait aussi deux grandes ailes de bois attachées à l'habitacle et une figure de proue aux allures de la bête en furie.

- C'est ce que j'ai trrrouvé de mieux pour éviter de me fairrre attaquer par des barrrbarrres lorsque je survole des contrrrées sauvages et inhospitalièrrres! Les pauvrrrres bougrrres crrrroient qu'il s'agit d'un vérrritable drrrragon et ils me fichent la paix!, leur avait expliqué le lurican.

Si l'extérieur de la flagolfière était impressionnant à voir, l'intérieur était tout aussi splendide. Plus rien de commun avec les premiers modèles de l'inventeur où une vulgaire chaloupe de bois modifiée lui servait de nacelle! Celle-ci était maintenant fermée et son intérieur, aménagé pour recevoir un roi. De larges fauteuils très confortables, quelques rideaux de soie, une grande table de bois regorgeant de victuailles et même un serviteur lurican, tout habillé de blanc, étaient à la disposition des voyageurs. Le domestique se nommait Groom LacFaden Y'Mactar, mais chacun l'appelait par son prénom. La barbe et les cheveux roux comme son compère Flag, il avait comme tâche de servir des boissons fraîches ainsi que de s'assurer que les passagers ne manquaient de rien au cours de leur voyage.

- Vous désirrrez encore un peu de jus de vers de terrres, mademoiselle Médousa?, demanda Groom à la gorgone.

- Oui, s'il vous plaît, il est très bon!

- Je l'ai prrréparrré spécialement pour vous… je m'inforrrme toujours des goûts de nos invités avant qu'ils ne montent à borrrd! Plus tarrrd, je vous ferrrai goûter à mon mélange spécial scarrrabées et asticots avec une pointe de fourmis rrrouges, c'est une purrre merveille!

- Hummm, fit la gorgone, je salive déjà!

En écoutant la description du breuvage, Béorf eut un haut-le-cœur. Dégoûté, il se retourna vers Amos.

- Je trouve Médousa très séduisante, mais quand il s'agit des plaisirs de la table, c'est incroyable comme elle me dégoûte! Mais comment fait-elle pour manger des choses aussi… répugnantes?

- C'est dans sa nature, mon cher Béorf!, répondit Amos bien calé dans une chaise rembourrée. Il n'y a rien à faire, les goûts ne sont pas à discuter! La preuve, c'est qu'elle t'aime bien, alors que tu n'es pas du tout mon genre!

- Très drôle…, ironisa le béorite. N'empêche que ces jus d'insectes me donnent envie de vomir.

- Moi non plus je ne trouve rien d'appétissant là-dedans, mais j'ai quand même un petit creux! Tu veux bien me donner une pomme?

- Avec plaisir, fit l'hommanimal, si tu trouves un vers à l'intérieur, tu sais quoi en faire?

- Oui, je le donne à Groom pour une de ses recettes!, rigola Amos.

Pendant que Médousa savourait tranquillement son breuvage, Lolya, juste à côté, observait les cartes géographiques du pays d'Atrum. Le royaume des elfes était divisé en trois larges étendues boisées portant les noms de Forêt rouge, Forêt bleue et Forêt jaune.

- Eh bien, voilà tout ce que nous savons sur ces elfes!, s'inquiéta Lolya. Un pays, trois couleurs de forêt et pas la moindre idée de ce qui nous attend dans ce lieu. Nous ne connaissons rien de ce peuple! Peut-être qu'ils sont hostiles?!

- Je crois plutôt que ce sont des créatures secrètes qui ne désirent pas être dérangées, répondit Amos avant de croquer dans sa pomme.

- Cela suppose que nous ne serons pas très bien reçus, en déduit Lolya.

- Pas néséferment, nvous…

- Avale avant de parler!

Amos déglutit.

- Pardon! Pas nécessairement, je disais… nous leur apportons le collier d'Arkillon qui fut un grand héros parmi les elfes noirs. Pour cette raison, je crois qu'on nous fera un accueil respectueux.

- Je te trouve bien optimiste, fit Lolya.

- Prévoyons le pire, mais espérons le mieux!, lança Amos avant de croquer à nouveau dans le fruit.

La porte du poste de pilotage, située à l'avant du véhicule, s'ouvrit brusquement. Flag en sortit tout excité.

- Rrregardez par la fenêtrrre à tribord, vous y verrrez Volfstand et la grande rrrivière qui mène jusqu'aux salines! Le paysage est merrrveilleux!

Amos et ses compagnons s'approchèrent de la vitre de la nacelle et admirèrent la ville. Reconstruite par Mékus, Magnus, Markus, Morkus et Mikus Grumson, cette cité était devenue un bijou du royaume de Ourm le Serpent rouge, roi des Vikings de l'Est.

- Tu crois que Nérée Goule dirige encore la ville?, demanda Amos à Béorf.

- Oh!, fit Béorf. Je suis désolé de t'apprendre que Nérée est décédée… une longue maladie l'a rendue complètement impuissante à gouverner. Elle qui aurait aimé mourir au combat a quitté le monde dans son lit, entre deux oreillers de plumes!

- Béorf et moi fûmes invités aux funérailles, continua Médousa. C'était grandiose! J'ai été fortement impressionnée…

- Les trois rois vikings et tous les chefs de clans étaient présents pour lui rendre un dernier hommage, enchaîna Béorf c'était très émouvant.

- J'aurais aimé la revoir avant qu'elle nous quitte, dit Amos sur le ton du recueillement. C'était tout un personnage celle-là! Je trouve dommage qu'elle n'ait pas pu réaliser son rêve de gloire et d'immortalité!

- En effet!, confirma Béorf. C'était une véritable guerrière qui méritait de mordre la poussière sur un champ de bataille! Une dure de dure!

- Son peuple ne l'oubliera pas, dit Médousa. J'ai vu toute l'admiration que ses gens avaient pour elle.

- Elle vivra dans notre mémoire aussi, conclut Lolya en essuyant une larme.

La conversation s'arrêta, puis un long silence rempli de souvenirs prit place dans la nacelle. Par son caractère bouillant et ses répliques cinglantes, Nérée Goule avait marqué chacun d'entre eux.

C'est Groom qui, entrant dans la pièce avec des boissons fraîches et quelques bons fromages, vint briser le silence.

- À boirrre?, demanda-t-il d'une voix forte et enjouée. J'ai aussi quelques spécialités de…

Avant que quiconque puisse répondre à sa question, la nacelle tangua brusquement. La nourriture et les boissons volèrent contre les murs, les fenêtres, mais surtout dans le visage du malchanceux lurican. La seconde suivante, le son d'un cor se fit clairement entendre.

- C'est une attaque! Nous sommes attaqués!!!, lança anxieusement Groom.

- Un peu d'action Amos?, demanda Béorf, sourire aux lèvres. On commençait à s'ennuyer ici, non?

- J'espère qu'ils sont nombreux et très méchants!, répliqua le porteur de masques en se frottant les mains.

La navette balança violemment une seconde fois.

Médousa jeta rapidement un coup d'œil par la fenêtre et aperçut des centaines d'humanoïdes ressemblant vaguement à des femmes. Livides, échevelées et décharnées, elles volaient comme par magie dans les airs, leurs haillons claquant dans le vent.

- Intéressantes, ces créatures, fit la gorgone en ouvrant une fenêtre, je vais me positionner pour une attaque-surprise! Amos, tu me donneras le signal quand tu seras prêt!

- Excellent!, répondit le porteur de masques alors que la gorgone se lançait dans le vide.

- Je surveille notre cabine, enchaîna Béorf avant de se transformer en ours.

- Moi, je vais assurer la protection de Flag et de Groom au poste de pilotage, dit Lolya en dégainant Aylol, sa dague magique.

- Voilà ce que j'appelle une équipe bien rodée, pensa Amos en souriant. Les créatures qui attaquent notre flagolfière n'ont qu'à bien se tenir.

Pour évaluer la situation, Amos suivit Lolya au poste de pilotage où Flag, terrifié, essayait tant bien que mal de piloter son engin.

- Je ne comprrrends pas! Je ne sais pas qui sont ces horreurs volantes!!! C'est terrrible! Terrrible!

- Ne t'inquiète pas Flag, je vais voir ce qu'elles nous veulent!, le rassura Amos.

Le porteur de masques ferma les yeux et utilisant les pouvoirs de l'air, se dématérialisa.

- Eh bien!, lança Flag surprit de le voir disparaître. Il est forrrt, là! Je n'avais jamais vu ce tour auparavant!

- Attends, tu n'as encore rien vu!, rigola Lolya. Depuis qu'il est revenu de sa dernière mission, ses pouvoirs ont décuplé! Je ne l'ai jamais vu aussi fort et habile.

Amos se glissa tel un courant d'air par un tout petit trou du plancher du poste de pilotage, puis une fois à l'extérieur, se colla à la paroi du ballon afin de monter jusqu'à son sommet. Une fois en position, il reprit son corps de chair. De ce nouveau point de vue, il put facilement constater que la flagolfière était entourée de centaines d'humanoïdes volantes à la peau grise.

- Ces êtres n'ont pas l'air de nous vouloir du bien, pensa-t-il en apercevant leurs visages agressifs au rictus méprisant.

Une des créatures, la seule enveloppée d'un long châle brun, se détacha du groupe et vint se poser sur le ballon à quelques enjambées d'Amos.

- Vous violez le ciel des banshies, humain!, criat-elle d'une voix rappelant celle de la corneille. Vous avez passé notre frontière sans autorisation! Ce ciel est à NOUS! Ces nuages sont les nôtres et vous n'avez pas le droit d'y voler! PAS LE DROIT! INTERDIT!

Amos comprit tout de suite que la négociation avec ces créatures serait difficile. Aussi obtuses d'esprit que laides, elles ne comprendraient probablement pas ses explications sur le fait qu'il était impossible de tirer une frontière dans le ciel et que les nuages, volatiles par leur nature, n'appartenaient à personne. Ainsi décida-t-il de ne pas tenter de les convaincre.

- Je suis désolé, s'excusa-t-il en espérant éviter la confrontation, mais nous ne savions pas que cette partie du ciel appartenait à votre peuple. Si vous le permettez, je demanderai à notre pilote de modifier la trajectoire de la flagolfière afin que nous quittions rapidement votre territoire. Me permettez-vous de lui signifier votre re...

- Trop tard! Le mal est fait!, l'interrompit brutalement la banshie. Il faudra payer... il faut payer un droit de passage et d'utilisation du ciel... il faut PAYER! LE MAL EST FAIT!

Le porteur de masques soupira un bon coup. Décidément, le monde était peuplé de bien étranges créatures! Incapables de bon sens, ces bêtes étaient guidées uniquement par leur avarice et leur méchanceté.

- Euh… bon très bien, obtempéra Amos, magnanime. Nous allons payer! Mes amis et moi ne désirons pas vous déplaire… Alors, dites-moi, de quoi avez-vous besoin? Je peux vous offrir de l'or ou encore des pierres précieuses? Nous avons aussi de la nourriture en abondance! Si votre demande est raisonnable, c'est avec plaisir que nous y accéderons.

- Excellent!, cria la monstrueuse bête. Donnez-nous les deux luricans! Nous voulons les petits bonshommes aux poils de feu! Donnez-nous ces deux esclaves et nous serons clémentes envers vous. Si vous refusez, nous vous réduirons en bouillie!

Amos soupira de nouveau.

- Les luricans ne sont pas des esclaves, précisa-t-il. Ce sont nos amis, des compagnons de route que je protégerai avec force et vigueur. Votre requête est irréfléchie et stupide! Soyez un peu rationnelles, je vous offre de l'or et vous…

- LES LURICANS OU RIEN!!!, hurla la créature. Nous voulons ces esclaves! C'est un ordre! Donnez-nous ces poils de feu!

Un peu énervé par l'attitude arrogante de la banshie, Amos se décida à lui offrir une dernière chance.

- Bon… écoutez-moi bien, fit-il en essayant de garder son calme. Je n'aime pas beaucoup votre attitude et votre façon autoritaire de négocier. Alors, voici ma contre-offre! Vous nous laissez calmement passer à travers votre royaume tout en nous indiquant clairement où sont vos frontières afin que nous puissions les prendre en note. Nous signalerons ensuite à toutes les flagolfières de notre flotte de ne plus naviguer dans cette zone. Vous aurez ainsi la paix et nous aussi.

- Et si je refuse?, grogna la banshie. Je refuse tout! Le mal est fait! Il faut payer! Payer tout de suite! PAYER OU MOURIR!

- Je vous conseille sérieusement d'accepter mon offre, insista Amos, c'est de loin à votre avantage. Vous ne savez pas qui nous sommes et vous n'avez pas conscience des dommages que nous pouvons faire à votre peuple.

- Tu es un humain prétentieux, comme tous ceux de ta race! Tu crois être plus fort que les banshies, grenouille? Il faudra alors te donner une bonne leçon! Tu finiras avec les luricans comme esclave des banshies! Tu refuses de payer, alors tu devras te battre! TE BATTRE, HUMAIN!

- Cessez de crier, vous m'incommodez, grommela Amos. C'est votre dernière chance… pensez-y bien.

- Non, je n'y pense pas! Je ne pense à rien, car tu ne me fais pas peur! Les banshies n'acceptent pas de négocier avec les petites ordures dans ton genre! Nous vous briserons tous! À L'ATTAQUE, MES SŒURS!

Amos créa simultanément trois sphères de communication qu'il dirigea vers ses amis.

- Ça y est!, plaça-t-il comme message à l'intérieur des boules d'air. Les créatures attaquent!

Aussitôt que la sphère de communication atteignit son oreille en délivrant l'annonce du combat, Béorf, déjà en ours, se positionna sur ses pattes arrière, toutes griffes dehors. Le béorite était prêt pour l'action! À ses côtés, Groom comprit aussitôt que les monstres avaient sonné la charge. Tel un fier chevalier, le lurican saisit une fourchette et un couteau, et s'installa derrière Béorf pour protéger ses arrières. Groom, armé de son service de couvert en argent, vendrait chèrement sa peau.

Cachée sous la nacelle, Médousa attendait patiemment le signal pour s'élancer vers les banshies. Dès qu'elle reçut le signal d'Amos, la gorgone étira ses ailes et se laissa emporter par le vent. D'une main, elle enleva le capuchon de sa cape afin de dévoiler sa chevelure de serpents alors que de l'autre, elle retira ses lurinettes. Bientôt, quelques banshies allaient apprendre à leurs dépens que la pierre ne vole pas très bien.

Quant à Lolya, dès qu'elle reçut le message d'Amos, la nécromancienne planta sa dague dans le tableau de bord de Flag et invoqua un sort de protection. Trois spectres blanchâtres portant de longues robes laiteuses apparurent alors dans la cabine de pilotage.

- Que personne n'entre ou ne sorte de ce lieu, ordonna-t-elle. Je vous libérerai de mon service lorsqu'il n'y aura plus de danger. Exécutez-vous maintenant!

Les esprits prirent aussitôt place près des fenêtres et de la porte.

- Brrr!, fit Flag. Ils me glacent d'effrrroi ces trois-là! Mais d'où peuvent-ils bien sorrrtir?

- Ce sont des Yuki-Onnas, expliqua Lolya. Il s'agit des esprits de trois guerriers qui sont morts de froid, mais qui, pour des raisons que je ne connais pas, sont demeurés dans notre monde. Il suffit de les invoquer pour qu'ils viennent donner un coup de main aux vivants. Avec eux, il faut être directif et poli, sinon ils risquent de se retourner contre nous.

- Merrrci de nous aider, vous êtes merrrveilleux!, lança Flag aux spectres pour les flatter. Votrrre supporrrt est grrrandement apprrrécié! Les créaturrres n'ont qu'à bien se tenir!

Devant les flagorneries du lurican, Lolya se contenta de rigoler.

Pendant ce temps, à l'extérieur de la flagolfière, le combat avait déjà commencé.

La première attaque des banshies fut tout d'abord entièrement dirigée contre Amos. Une trentaine de créatures hargneuses se jetèrent sur lui à toute vitesse. D'un geste précis de la main, le porteur de masques créa un mur de vent auquel les assaillantes se heurtèrent brutalement. Plusieurs s'y brisèrent les os du crâne, du cou ainsi que des bras. Assommées et souffrantes, les banshies blessées se laissèrent tomber vers le sol.

- Attention mes sœurs, c'est un magicien!, hurla la créature au châle brun. Ne vous laissez pas impressionner! Nous sommes les plus fortes! Plus fortes! ILS DOIVENT PAYER! PAYER!

Encouragée par les exclamations de leur chef, une nouvelle vague de combattantes déferla sur Amos.

- Maintenant, plus de pitié, se dit-il en puisant dans la force de son masque de feu. Je vous avais averties.

Amos leva les bras au ciel et ordonna la combustion de ses ennemies. Aussitôt, elles s'enflammèrent toutes comme des torches.

- Mais qui peut bien être cet humain?, se questionna la chef des banshies, soudainement plus anxieuse. Je n'ai jamais vu de tels pouvoirs... mais, mais qu'est-ce... mais qu'est-ce que j'ai dans le dos?! Qui s'accroche à moi!?

Tournant la tête, elle aperçut une gorgone planant juste au-dessus d'elle. Médousa tenait à deux mains son châle brun et la tirait vers elle. Paniquée, la banshie essaya de se libérer, mais ne réussit qu'à s'empêtrer dans son vêtement.

- Tu sais... nous aurions pu devenir de bonnes copines toi et moi!, se moqua Médousa. Mais non, je blague! Tu es trop malveillante... au fait, bonne descente!

La gorgone plongea son regard dans celui de la banshie. L'effet fut immédiat, le corps de la vile créature se métamorphosa en statue de pierre et tomba lourdement vers la terre.

- Que la pluie des statues commence!!!, s'écria Médousa en se propulsant vers d'autres banshies.

C'était au tour du poste de pilotage d'être assailli de toutes parts. Quelques dizaines de créatures enragées essayaient tant bien que mal de briser les fenêtres afin d'y pénétrer. Heureusement, les gardiens spectraux de Lolya avaient le contrôle de la situation. Ceux-ci, capables de passer leurs membres à travers le bois de la nacelle, n'avaient qu'à effleurer les banshies du bout des doigts pour leur faire subir de violentes décharges électriques. Les créatures, incapables d'identifier la source de ces violents chocs, revenaient à la charge avec toujours plus de hargne. Le visage déformé par la colère, elles faisaient peur à voir.

- Trrrès efficace cette prrrotection, chrrrère Lolya!, fit Flag, un peu moins anxieux.

- Oui, en effet, mais je peux faire mieux!, répondit Lolya. Tu veux voir un autre de mes tours?

- Pourrrquoi pas!

- Alors, regarde bien!

Lolya leva le doigt et pointa une banshie au hasard.

- Je touche ton âme, murmura la jeune nécromancienne. Ta vie est à moi… tu me sers, me protèges…

Aussitôt, l'humanoïde se retourna contre ses sœurs et les attaqua sauvagement.

- Ça aussi, c'est trrrès fort! Bravo!, lança Flag, admiratif.

- Merci! Oh, je me demande comment se porte Béorf! J'espère qu'il n'a pas trop de mal à l'arrière!

Dans la partie luxueuse de la nacelle, Béorf était prêt à l'action depuis un bon moment. Il tournait sur lui-même en espérant une invasion de ces horribles créatures. Toujours derrière lui, Groom, tout aussi fébrile à l'idée d'engager le combat, surveillait les fenêtres afin de ne pas se faire surprendre. Le béorite et le lurican avaient l'allure de deux marionnettes d'un mauvais spectacle de troubadour. Ils bondissaient d'un côté, puis de l'autre, ayant le vide pour unique ennemi. Par les vitres de la nacelle, ils voyaient tournoyer les banshies autour de la flagolfière, mais celles-ci refusaient d'entrer dans la nacelle pour les attaquer.

- Venez mes petites!, grogna Béorf. J'ai besoin d'action! Allez, attaquez-nous! Peut-être pourrions-nous ouvrir la porte afin de faciliter leur entrée? Qu'en penses-tu Groom?

- Ce ne serrrait pas trrrès sage!, répondit le lurican que la bataille n'intéressait pas vraiment.

- Oui, je sais, insista Béorf, mais il faut les aider un peu, non? Elles ne savent pas du tout par où entrer! Soyons beaux joueurs et ouvrons au moins une fenêtre! Qu'en dis-tu? Juste une! Une toute petite!

- N'y pensez même pas!, trancha Groom.

- Oui, mais, hésita Béorf, comment je vais faire pour me battre, alors? Je ne sais pas voler, moi! Je ne peux pas me lancer dans le vide comme Médousa! Si je veux ma part du gâteau, il faudra qu'on leur donne la chance d'envahir la nacelle, tu comprends, Groom?

- Je comprrrends surtout que perrrsonne ici n'ouvrrrira ni porrrte ni fenêtrrre! Est-ce bien clairrr, monsieur Brrromanson?

- Oui…, soupira Béorf, dépité. C'est clair, mais ce n'est pas juste!

Au sommet du ballon, tout contrastait avec le calme de la nacelle.

Tel un acrobate jonglant avec plusieurs balles, Amos lançait des projectiles de feu d'une main tout en contrôlant de l'autre un petit tourbillon de vent soutenant Médousa dans les airs. Ainsi supportée par le sort de son ami, la gorgone planait entre les banshies en cherchant leur regard. Les imprudentes ayant le malheur de la regarder dans les yeux se transformaient en statue de pierre tombant au sol.

***

Ce matin-là, lorsque Jonas Pondu, cultivateur de son métier, se leva de son lit pour admirer son champ de patates, il découvrit avec stupeur des dizaines de statues d'horribles femmes grimaçantes plantées à travers ses rangs. Incrédule, il alerta tous les habitants de son village qui accoururent pour voir l'étrange phénomène. Ceux-ci, étonnés comme Jonas, échafaudèrent une panoplie de théories toutes aussi improbables les unes que les autres. Devant la quantité d'explications farfelues, le maire, qui se devait de trouver une version officielle de l'événement, trancha. Il fut convenu que certaines patates du champ de Jonas Pondu contenaient des esprits maléfiques et que ceux-ci, un peu à l'image d'un poussin sortant d'un œuf, s'étaient par eux-mêmes libérés des légumes. À l'instar du troll qui se transforme en statue de pierre dès qu'il est touché par un rayon de soleil, ces esprits avaient sans doute subi le même sort. Depuis ce jour, où chaque habitant du village est rentré chez lui avec une statue du champ de Jonas, les cultivateurs de cette région du monde ont des épouvantails de pierre. Et paraît-il que les statues grimaçantes seraient plus efficaces pour chasser les oiseaux que les mannequins de paille.

***

Amos enchaînait des salves de boules de feu accompagnées de projectiles de glace provenant de l'humidité de l'air avec une dextérité hors du commun. Il crachait des flammes comme un dragon, évitait tous les coups des banshies avec une rapidité surnaturelle et les frappait en s'aidant d'une épée invisible provenant de l'Éther. Le porteur de masques était manifestement en plein contrôle de ses moyens. Jamais il n'avait été aussi concentré lors d'un combat. Sartigan avait eu raison de croire que son élève n'avait plus besoin de professeur et qu'il devait poursuivre seul son chemin. Amos était devenu le maître incontesté des éléments.

Tout autour de la flagolfière, les créatures volantes tombaient comme des mouches.

Témoin de la bataille qui sévissait à l'extérieur de la nacelle, Béorf, toujours sans la moindre banshie à combattre, hurlait son désespoir.

- Mais ils vont toutes les prendre! J'en veux, moi aussi! Partagez un peu, bande d'égoïstes! Envoyez-en une ou deux par ici!!! OH, LES AMIS! PAR ICI LES ENNEMIS!!! YOU HOU!?

Groom, ayant compris depuis un petit moment qu'il n'avait plus rien à craindre, avait déposé ses ustensiles de combat afin de préparer son service de boissons fraîches. Nul doute que ses invités auraient envie de se désaltérer après la bataille qu'ils étaient en train de mener.

- Une boisson frrrraîche?, demanda Groom à Béorf. J'en ai une excellente aux frrruits des champs! Un rrrégal!

- Quoi?! À boire maintenant? Mais je suis dans l'action! Je ne vais pas boire alors que je suis en pleine… confrontation avec… avec ces… pff!

- Nous sommes plutôt spectateurs ici, monsieur Béorf, alors aussi bien prrrofiter pleinement du spectacle! Non?

- Bof…, fit Béorf en regagnant sa forme humaine. Pourquoi pas. Il n'y a plus d'espoir que la nacelle se fasse attaquer maintenant…

- Bon, trrrès bien! Nous y allons pour fruits des champs ou melon et pomme?

- Je veux bien goûter le jus aux fruits des champs, bougonna Béorf.

- Excellent choix!, fit Groom. Vous ne le regrrretterez pas! Ce petit jus saurrra vous rrremonter le moral! Et puis, monsieur Bromanson, dites-vous que la prrrochaine fois, ce serrra peut-êtrrre sur vous que se jetterrront tous les ennemis. On ne sait jamais.

- Parfois, la vie est bien injuste, maugréa Béorf.

Frustré, le béorite se laissa choir dans une large chaise rembourrée.

- Ne vous décourrragez pas, c'est une magnifique aventurrre que nous vivons là!

- Belle aventure qui commence mal, grommela-t-il en se croisant les bras. Pas moyen de participer… tout le plaisir pour eux et rien pour moi… Et le partage entre amis, ils en font quoi? Si j'avais su, eh bien, je serais resté à Upsgran! Je suis chef de clan, moi, et j'ai des responsabilités!

Quelques minutes plus tard, alors que Béorf bougonnait toujours dans son coin, les banshies battaient en retraite en poussant des hurlements de détresse. La victoire d'Amos et de ses amis était concluante.

Médousa, d'un coup d'aile, regagna la nacelle.

- WOUUUUAH!, lançait-elle en bondissant sur la table. QUEL COMBAT! À gauche, à droite! Il y en avait partout! Je m'élançais de banshie en banshie pendant qu'elles essayaient de me mordre ou de me griffer! C'était intense! TROP INTENSE! Mais quelle leçon nous leur avons servie! HOU! HOU! HOU!

- Je t'ai vue et tu étais superbe!, lança Lolya du poste de pilotage. Magnifique travail ma belle Médousa! Je libère mes esprits et j'arrive, je veux que tu me racontes!

- Je confirrrme!, ajouta Flag. J'ai tout vu, Médousa, et tu es une vérrritable déesse du vent!

- Déesse du vent, ouais, ça me va bien ce nouveau nom!, rigola la gorgone. Je crois que j'ai battu mon record de statues dans un même combat! J'espère seulement qu'il n'y avait personne en bas, car ce fut une véritable pluie. Que dis-je, une tempête! Bon, il faut que je me calme, je suis trop énervée!

- Un petit jus de scarrrabées pour reprendre votre souffle?, lui demanda Groom de sa cuisine.

- Excellente idée, Groom! Vous êtes génial!

- C'est parrrrti pour la boisson des vérrritables guerrrrières!

Comme par magie, Amos se matérialisa dans la nacelle. Il était tout sourire.

- Une bonne bataille, ça dégourdit!, dit-il fièrement. Quelle équipe nous formons! Franchement, les banshies auraient mieux fait de négocier. Elles vont se souvenir longtemps de notre passage!

- Quelle maîtrise des éléments!, le complimenta Médousa. Ton tourbillon m'a portée tout au long de l'affrontement, j'avais un parfait contrôle de mon vol! Une MERVEILLE! Sartigan avait raison, tu es vraiment devenu un maître!

- Moi, je n'ai créé que le vent, mais c'est toi

qui as fait le travail!, dit Amos en retournant le compliment à son amie.

- Je sais que tu es modeste, mais j'insiste pour te dire bravo, Amos!, renchérit Lolya. C'était impressionnant de voir toutes ces boules de feu, une véritable explosion de couleurs!

- Sans mes masques, je n'aurais rien fait!, répondit-il humblement. Tout ça, je le dois à la puissance de la Dame blanche. Même que, je dois vous avouer qu'au début, je me sentais un peu rouillé, mais j'ai suivi les trucs de Sartigan pour gagner une meilleure concentration et j'ai rapidement retrouvé mes aises.

- J'apporrrte une collation et des boissons!, interrompit Groom. Une victoire comme celle-là, ça se fête! Pour monsieur Darrragon, du thé frrroid avec des glaçons et un peu de citrrron, une merrrveille! Pour madame Lolya, une boisson menthe et vanille, un délice! Et le scarrrabée spécial pour madame Médousa! Ici, biscuits et gâteaux, servez-vous!

Les trois amis prirent place autour de la table en poussant des exclamations de joie. Béorf, déjà assis, se contenta de soupirer et de faire la moue.

- EXCELLENT!, s'exclama Médousa, toujours aussi heureuse de sa bataille. Cette collation tombe à point! Mais j'ai surtout hâte d'entendre Béorf! Alors, comment c'était pour toi? Raconte, mon beau guerrier!

- Oui, vas-y Béorf!, insista Lolya.

Bougon, le béorite tenait son verre de jus de fruits des champs qu'une longue paille reliait à sa bouche. Il n'avait manifestement pas envie de raconter son aventure.

- Allez, raconte Béorf!, persévéra Amos. Dans cette nacelle, tu n'as pas eu de vertiges pour combattre, n'est-ce pas? Tu as certainement dû en massacrer quelques-unes, non? Et puis, je te regarde, tu n'es même pas blessé! Une bataille rondement menée, sans doute!

- Pardon?!, fit le béorite d'un air indifférent. Qu'est-ce que tu dis?

- La bataille!, s'exaspéra un peu Amos. Raconte comment tu as éliminé les banshies?

- Oh ça? Euh… je n'ai pas envie d'en parler.

- Mais enfin, Béorf!, s'impatienta Médousa. C'est toi qui racontes le mieux! Devons-nous te prier ou quoi? Vas-y! Donne des détails! Tes combats sont toujours si rigolos, nous avons tous envie de nous amuser!

- Je n'ai rien à raconter, grogna Béorf en aspirant une gorgée de son jus.

- Bon, ça y est!, s'exclama Amos. Il boude.

- Rien à raconter!? Toi?!, fit Lolya. C'est impossible, à moins que… que tu sois malade? Une blessure interne? C'est peut-être grave, laisse-moi t'examiner.

- NON!, se fâcha le béorite. TOUT VA BIEN!

L'allégresse de la victoire retomba rapidement à l'intérieur de la nacelle.

- Oui, je crrrois qu'il est bien blessé, s'amusa Groom en déposant un second plat de victuailles sur la table. Mais uniquement dans son orrrgueil!

- Que se passe-t-il Béorf?, s'inquiéta Amos. Je te jure que tu nous inquiètes, explique-nous…

- Tu peux tout nous dire, dit tendrement Médousa.

- Ne sois pas gêné, l'encouragea Lolya. Nous sommes tes amis.

Béorf saisit fermement la paille entre ses lèvres et aspira d'un coup le contenu de son verre, puis il le déposa bruyamment sur la table.

- Si je n'ai rien à raconter, fit-il, c'est parce qu'il n'y A RIEN À RACONTER! C'est tout! Voilà! Rien de rien!

- Ce que monsieur Bromanson veut dire, c'est qu'il n'a rrrien fait durrrant la bataille, expliqua Groom. Il est rrresté ici, sur cette chaise, à boirrre de mon magnifique nectar de frrruits des champs! Les banshies n'ont jamais essayé d'envahir la nacelle et nous sommes rrrestés là tous les deux, à admirrrer vos prouesses.

- Oh!, fit Médousa. Je comprends maintenant…

- C'est bien dommage, ajouta Lolya, compatissante.

Devant la réaction démesurée de Béorf à la banalité de la situation, Groom toussota pour essayer de faire passer son envie de rire.

- Donc, pas de bataille pour toi, Béorf?, demanda Amos, feignant le drame. C'est vraiment… vraiment terrible... je suis... comment dire... euh... touché.

Le béorite se contenta de grogner.

- Mais vraiment aucune bataille?, insista Amos en se mordant l'intérieur des joues pour ne pas rire. Pas même un tout petit coup de poing dans une mâchoire de banshie?

- Rien!, ronchonna Béorf.

- Oh... c'est... c'est désolant pour toi..., enchaîna Médousa sur le point de pouffer. Tu as dû passer un... un très mauvais moment.

- Au moins, le... le jus était bon?, renchérit Lolya sur un ton moqueur.

- Le – jus – était – trop – sucré, merci, fit Béorf en colère.

- Ne t'en fais pas, Béorf, dit Amos sur un ton amical, à la prochaine bataille, eh bien... tu... tu pourras essayer une autre saveur!!!

Un éclat de rire général fit alors trembler la nacelle. Même Flag, qui avait suivi la conservation du poste de pilotage, explosa d'une voix tonitruante. Les larmes aux yeux, Lolya se tenait la cage thoracique à deux mains de peur qu'elle n'explose. Hilare, Groom alla rapidement se cacher pendant que Médousa, incapable de demeurer assise à force de rigolade, glissa lentement sous la table en poussant de petits cris secs. Quant à Amos, les larmes aux yeux, il essayait tant bien mal de retenir ses gloussements pour ne pas offenser Béorf, mais y arrivait bien mal.

- Ce n'est pas drôle!, lança Béorf, en colère. Et c'est même très égoïste de votre part! La prochaine fois, je vous ferai une rage guerrière, on verra bien qui rira ensuite!

Devant l'hilarité générale qui se poursuivait, le béorite se renfrogna puis, peu à peu, esquissa un petit sourire. Le béorite se dit qu'en vérité, son aventure n'avait rien de bien dramatique.

- Vous pouvez bien vous moquer de moi, lança-t-il en faisant mine d'être toujours fâché. Ce fut quand même une épreuve très difficile à passer! Je n'ai pas l'habitude de me tourner les pouces en regardant les autres faire tout le travail.

- Pauvre petit ours, lui répondit Médousa de belle humeur, viens dans mes bras que je te réconforte un peu! Tu fais trop pitié, mon beau Béorf! Tu mérites que je te cajole un peu, mon héros!

- Bon!, se réjouit Béorf, en voilà au moins une qui me comprend! Merci Médousa, j'apprécie ta compassion!

- De rien mon gros ourson!, lui répondit-elle. La prochaine fois, je t'en garderai quelques-unes, c'est promis!

- J'apprécie, merci…, fit Béorf en déposant sa tête sur l'épaule de son amie. Tu peux me gratter derrière les oreilles?

- Mais oui… et le bout du nez aussi!

C'est dans cette joyeuse ambiance de victoire et d'amitié que la flagolfière continua sa course vers le pays d'Atum.

Chapitre 8
La visite d'Arkillon

Amos regardait le coucher de soleil à l'horizon. L'intérieur de la nacelle prenait lentement les teintes orangées des derniers rayons de la journée. Près de lui, Lolya dormait déjà. Béorf et Médousa, lovés l'un contre l'autre, étaient eux aussi dans les bras de Morphée. Toujours à son poste de pilotage, Flag savourait un thé fort préparé par Groom, qui à chaque gorgée le faisait glousser de bonheur. Entre les expressions de satisfaction du lurican et le paysage magnifique qui se déployait sous ses yeux, Amos prit entre ses mains le collier d'Arkillon et eut une pensée pour lui.

- Je ne sais pas si tu es encore à Braha… ni ce que tu fais, mais j'aimerais que tu saches que la mission pour laquelle tu as donné ta vie est enfin réussie. Aussi, que tu saches que toi et les autres porteurs de masques, vous y étiez presque. Tu sais, j'ai eu un choc lorsque j'ai découvert ton corps…

Groom l'interrompit dans ses pensées.

- Je vais fermer la cuisine, monsieur Daragon, désirez-vous quelque chose à boire avant la nuit?

- Non, merci Groom, tout va bien.

- Pas besoin de couvertures, ni d'un oreiller supplémentaire?

- Tout va bien, répondit Amos.

- Alors, bonne nuit. S'il vous manque quelque chose, vous n'aurez qu'à sonner. Je dors d'un œil et c'est avec grand plaisir que je vous servirai.

Amos le salua tout en se disant que ce lurican faisait merveilleusement bien son travail. Flag avait trouvé en ce Groom un partenaire extraordinaire pour sa flagolfière de luxe.

Une paix profonde régnait à l'intérieur de la nacelle, si bien qu'Amos goûta, pour l'une des rares fois de sa vie, au simple bonheur de vivre le moment présent.

- J'avais un ami très avare, lui avait un jour raconté Sartigan, et un jour, celui-ci m'envoya chercher du riz pour notre dîner, mais sans me donner d'argent. Comme je protestais, il m'a répondu que tout le monde était capable d'acheter du riz avec de l'argent, mais qu'en rapporter sans dépenser le moindre sou, tel était un défi à ma mesure! Je suis alors parti au marché et à mon retour, je lui ai présenté un sac de riz vide. « Mais qu'est-ce que cela? Où est le riz?, m'a-t-il demandé, offusqué. » « Eh bien, lui ai-je répondu, tout le monde est capable de manger du riz lorsque le sac est plein; s'en repaître quand le sac est vide, voilà un véritable défi à ta mesure! » Un jour, Amos, tu trouveras en toi la façon de remplir des sacs de bonheur à partir de rien. À ce moment, tu seras en paix avec toi et l'univers qui t'entoure. Mon ami avare n'a jamais pu se nourrir de riz qui n'existait pas, mais toi, tu pourras remplir ton âme de joie et t'en nourrir pendant de longues années. C'est ainsi que l'on commence à être sage...

Amos repensa à l'histoire de son maître et se dit qu'avec toutes ses aventures, il n'avait encore jamais pris le temps d'apprécier la vie à sa juste valeur. Aujourd'hui, il avait muri et pouvait le faire sans remords, mais surtout, sans se sentir menacé par les dieux. Bien sûr, il ne s'attendait pas à ce que les divinités cessent de lui compliquer l'existence, mais pour le moment, il ne se sentait pas en danger.

- Je ne sais pas ce que me réserve l'avenir, pensa Amos, mais j'ai confiance en demain.

Le pendentif d'Arkillon toujours entre les doigts, Amos se plaça en position de méditation et prit de profondes respirations. Il sentit l'air passer de ses poumons à ses muscles, puis des images lointaines de son ami l'elfe noir se matérialisèrent dans son esprit. Il le revit à Braha, lors du grand bal auquel il avait assisté, puis il revit l'image de son corps tout desséché dans la grotte menant à la force vitale de la Dame blanche. Une scène triste et douloureuse qui fut rapidement chassée par une autre où ils marchaient à Braha, côte à côte, sur les rives du Styx.

Après quelques minutes de ce voyage dans ses souvenirs, Amos se sentit plus léger. On aurait dit que son âme avait quitté son corps. Il ouvrit les yeux pour se rendre compte qu'il avait traversé dans l'Éther.

Devant lui, Arkillon souriait.

- Salut, jeune porteur de masques, lui dit-il avec émotion. Ainsi, tu as réussi ta mission! C'est extraordinaire, ce que tu as accompli!

- Salut Arkillon, répondit Amos, je suis content de te revoir. Oui, en effet, j'ai rétabli l'équilibre du monde. Maintenant, je dois le protéger afin que la Dame blanche puisse s'incarner pleinement dans sa création. Pour l'instant, les dieux ne me font pas trop de misères.

- Félicitations, mon ami… J'étais un peu jaloux de toi lorsque nous nous sommes connus à Braha, car au fond de mon être, je savais que tu réussirais là où j'avais échoué, avoua Arkillon. Grâce à toi, les mortels vivront dans un monde nouveau où les divinités n'auront plus leur place et où chacun sera enfin libre d'exister sans peur et sans contrainte. C'est merveilleux!

Amos sourit. Les mots d'Arkillon l'avaient touché droit au cœur.

- Mais cessons de parler de moi, fit le porteur de masques, comment te portes-tu? Enfin sorti de Braha?

- Oh oui! ENFIN, comme tu le dis!, répliqua Arkillon en rigolant. J'ai passé beaucoup trop de temps à pourrir dans cette ville de désespérés! Cependant, ma situation ne s'est pas du tout améliorée… Tu imagines! Le grand juge Mertellus m'a condamné à errer dans l'Éther jusqu'à ce qu'il se trouve un être assez généreux pour me venir en aide. Alors, je suis ici, seul dans cet espace vide où je marche nuit et jour sans jamais arriver nulle part. Je ne dors pas, ne mange pas, ne bois pas et je ne possède aucune source de distraction. Tout ce qui me reste, ce sont mes souvenirs. Des images qui deviennent de plus en plus floues, des visages que j'oublie… Oui, mon ami, j'ai enfin quitté Braha, mais mon âme n'a pas encore trouvé son repos.

Malgré le drame de son ami, Amos sourit.

- Je suis triste pour toi… mais tu parlais d'une âme charitable pour te venir en aide, non?

Arkillon sourit lui aussi. L'elfe noir savait qu'il pouvait faire confiance à Amos, que son errance allait bientôt se terminer.

- Tu sais, mon ami, que je ferai tout ce qu'il faut pour que tu trouves la paix, le rassura Amos. Parle… je t'écoute.

- Tu n'as pas changé d'un poil! Ta compassion est admirable! Mais avant d'en venir à mes petites misères, permets-moi de te dire que tes actions ont eu de graves répercussions dans les mondes éthérés et que les dieux sont vraiment en colère contre toi. Quand je dis les dieux, je veux dire TOUTES les divinités, aussi bien des plans positifs que négatifs.

- Je comprends, répondit Amos. Je ne m'attendais pas à autre chose! Tu sais, j'ai appris à connaître les dieux et je sais de quoi ils sont capables.

- Alors, dans le but de se venger de toi et de tous ceux qui ont œuvré depuis des générations à la venue d'un monde nouveau, continua Arkillon, les dieux ont expulsé de leurs royaumes toutes les âmes des valeureux guerriers, des braves héros, mais aussi des modestes serviteurs qui ont côtoyé de près ou de loin les porteurs de masques. Autrement dit, tous ceux qui t'ont aidé avant leur mort sont aujourd'hui des parias. Les bienheureux d'autrefois sont devenus des renégats et leurs âmes, comme la mienne, errent sans but et sans fin dans l'Éther. Loin d'un port d'attache, ces esprits risquent de disparaître à jamais. Avec eux, s'envolera aussi la mémoire de leurs exploits…

Troublé par cette révélation, Amos eut tout de suite une pensée pour les valeureux béorites d'Upsgran, les hommes de Banry Bromanson, l'oncle de Béorf, qui avaient sacrifié leurs vies à sa mission. Son cœur se resserra un peu plus en imaginant Koutoubia Ben Guéliz, son ami guide et traducteur, perdu dans l'Éther. Ces grands guerriers et valeureux aventuriers ne méritaient pas ce châtiment cruel. Encore une fois, les immortels avaient été injustes.

- J'ai du mal à accepter qu'une telle chose soit possible, fit Amos, inquiet. Que puis-je faire pour leur venir en aide?

- Tu dois leur créer un lieu où leurs âmes pourront reposer en paix et où leurs exploits seront chantés à jamais. Ainsi, ils vivront dans le souvenir des mortels. Ces valeureux, prisonniers dans les mondes éthérés, trouveront ce lieu d'exception créé en leurs noms et marcheront vers lui. Cet endroit sacré, où ils pourront puiser de l'énergie positive afin de se régénérer, leur permettra de rejoindre la Dame blanche. Ainsi, leurs âmes ne seront pas perdues, et ils contribueront à l'équilibre du monde.

- Si j'ai bien compris, tu veux que je construise ce lieu?, demanda Amos.

- Je ne t'oblige à rien, mais je te le demande amicalement… Cet endroit que tu choisiras pourra aussi servir de lieu de rencontre où tous ceux qui croient aux vertus des forces de la Dame blanche pourront se retrouver. Des aventuriers du monde entier pourront venir s'y ressourcer! Mais pour cela, tu dois choisir un endroit exceptionnel où tu ne délogeras personne de son habitat. Ce temple doit être bâti dans la paix et l'harmonie, pas dans la confrontation ou la guerre.

- Je l'appellerai le Sanctuaire des Braves, et je te promets qu'il sera érigé dans le respect des autres, mais aussi dans le respect de la vie. Cette nouvelle mission, je l'accepte pour toi, ainsi que pour tous ceux qui m'ont aidé dans ma tâche de porteur de masques. Il est important qu'on se souvienne de leurs exploits et qu'ils ne tombent pas dans l'oubli!

- Je savais que je pouvais compter sur toi, fit Arkillon. Ta noblesse de cœur est remarquable. Si, en plus, je pouvais te demander d'y prévoir un petit coin pour moi, je t'en serais reconnaissant à jamais. Tu sais, mon âme est fatiguée et j'ai envie de me reposer. Tous ces siècles à Braha m'ont brisé… tellement, que je n'ai presque plus de souvenirs de ma vie d'ancien porteur de masques… tu vois, lentement, je m'efface… trop fatigué, je disparais…

- Ne t'en fais pas, le rassura Amos, il y aura une place pour toi. Tu ne seras pas oublié et tu pourras enfin te reposer. L'emblème sera un olivier et un renard… L'olivier est un symbole de paix, de victoire et de force alors que le renard représente bien nos ennemis les dieux. Comme lui, ils sont rusés, malicieux et manipulateurs.

Arkillon sourit.

- C'est un joli nom, le Sanctuaire des Braves, approuva-t-il. Ce sera un endroit parfait pour y reposer ma vieille âme défraîchie! C'est un bon choix… alors, c'est décidé?

- Oui, confirma Amos. C'est décidé!

Un long silence s'immisça entre les deux amis. Peiné que le spectre d'Arkillon soit perdu dans l'Éther, Amos aurait aimé que les choses tournent autrement pour lui. Quant à l'elfe noir, il espérait que le porteur de masques puisse traverser avec succès les épreuves qu'il aurait à affronter afin de créer ce sanctuaire.

- C'est ainsi qu'on se quitte?, demanda Amos, mélancolique.

- Oui, c'est notre dernière rencontre, répondit Arkillon, tout aussi attristé. Mais avant de nous séparer, dis-moi, comment était-ce de rencontrer les autres porteurs de masques et de réaliser enfin la prophétie de la Dame blanche?

- C'était certainement l'un des plus beaux jours de ma vie, avoua candidement Amos. J'ai traversé beaucoup d'épreuves afin de réaliser ma mission et j'ai été heureux de constater que je n'étais pas seul à travailler pour créer un monde meilleur. Par contre, j'ai pu remarquer que les humains et humanoïdes de notre continent ne sont pas encore prêts à souscrire à ce changement. J'accepte très difficilement cette rebuffade…

- Il te faudra de la patience… beaucoup de patience. Les changements que tu as amorcés devront se faire dans la douceur, le calme et la tolérance.

- Oui, je sais… et je me rends bien compte que rien n'est jamais gagné d'avance, fit Amos. Moi qui croyais avoir terminé ma mission, je me rends bien compte qu'elle ne fait que commencer. Acquérir les masques et les pierres de puissance fut une chose, rétablir l'équilibre du monde, une autre, mais maintenir cet équilibre en attendant que toutes les races de tous les pays soient prêtes, voilà mon nouveau défi! Parfois, lorsque je pense au travail à accomplir, je deviens soudainement très fatigué.

- Ne porte pas à toi seul le sort du monde sur tes épaules, lui conseilla Arkillon, partage ton fardeau avec tes amis, ils sont capables, plus que tu ne le crois, de te soulager de ce poids.

- Je suivrai ton conseil…

- Adieu mon ami, le salua Arkillon.

- Adieu, répondit Amos.

La vision disparut et Amos ouvrit les yeux. Il était plus que jamais en paix avec lui-même.

À l'extérieur, la nuit était tombée et la flagolfière flottait dans le firmament. Toujours aussi triste pour son ami l'elfe noir, il pensa aux enseignements de Sartigan. Le vieux maître lui avait souvent répété qu'une journée bien employée donne un bon sommeil, mais qu'une vie bien remplie procure, quant à elle, une mort tranquille. Amos n'avait donc pas à s'inquiéter pour Arkillon, il avait vécu un tourbillon d'aventures dans sa vie de mortel et son âme errante continuait toujours d'accumuler des expériences. Lorsque le Sanctuaire des Braves serait construit, il trouverait enfin le repos.

Amos alluma une chandelle et déroula quelques cartes sur la grande table de la nacelle. Il lui fallait trouver un endroit exceptionnel pour bâtir le sanctuaire. Un lieu aussi beau qu'inspirant.

- Il existe certainement des endroits inhabités où la nature est luxuriante, pensa-t-il en scrutant ses plans. Mais où trouver ce lieu?

Soudainement, Amos fut traversé par le pressentiment d'une tragédie. Envahi de sueurs froides, il tenta de se maîtriser, mais en fut incapable. Avec la certitude qu'une nouvelle menace planait au-dessus de sa tête et de celle de ses amis, Amos regarda par la fenêtre. Peut-être les banshies étaient-elles de retour?

En proie à de fortes palpitations, il se dirigea vers Lolya afin de la réveiller et lui demander de l'aide. C'est alors qu'il vit la dague de Baal rougeoyer à sa ceinture. L'arme s'était teintée d'une lueur surnaturelle. Agitée dans son sommeil, la nécromancienne semblait en proie à un cauchemar.

- AAAAAAH!, fit-elle en se réveillant soudainement. Amos? Amos!? Tu es là?

- Je suis juste à tes côtés!, répondit-il en lui prenant la main. Je crois que tu viens de faire un mauvais rêve.

- Taisez-vous, grogna Béorf, à moitié endormi. C'est le milieu de la pluie… non, de la nuit… et vous m'avez réservé… euh, réveillé. Quand il y a du bruit, je ne peux pas sortir du pot de miel et des tartes aux fraises de…

Aussitôt, le béorite commença à ronfler; il s'était déjà rendormi. Amos et Lolya n'en firent aucun cas.

- Ce n'était pas un mauvais rêve, clarifia Lolya, je viens d'avoir une vision.

- Raconte?, demanda Amos, chez qui le mauvais pressentiment avait disparu. Je suis très curieux de t'entendre!

- J'ai vu la porte des Enfers s'ouvrir, conta la nécromancienne, et deux monstres en sortir. Il s'agissait de créatures effroyables dont l'adresse, la force et la puissance magique dépassent tout ce qui existe en notre monde. J'ai clairement ressenti que ces incarnations de la haine et du chaos étaient venues expressément pour toi. Elles ont passé la porte pour venir te punir… tu es leur cible, Amos.

- C'est étrange, car pendant que tu rêvais, j'ai ressenti un sentiment bizarre… j'étais complètement bouleversé. Lorsque je me suis approché de toi, j'ai vu ta dague prendre une étrange couleur rouge…

- Comme nous sommes très près affectivement l'un de l'autre, expliqua Lolya, il est possible que tu aies capté mes émotions… quant à Aylol, je ne sais pas comment l'expliquer. Sur plusieurs points, cette dague est encore un mystère pour moi!

- Alors, si tu as vu juste, il faudra que je me tienne prêt pour affronter ces deux monstres venus des Enfers?

- En effet!, confirma la nécromancienne. Mais parlons d'autre chose pour l'instant, je suis trop ébranlée par ce que je viens de voir. Je vais aller à la cuisine de Groom boire un peu d'eau, tu en veux?

- Oui… merci. Je t'attends ici.

Lolya changea de pièce et but à grandes gorgées toute une cruche d'eau.

- Tu ne lui as pas tout dit, fit la petite voix rocailleuse de la dague. Tu lui caches des choses… ce n'est pas bien de tromper ceux qu'on aime. Je sais ce que nous avons vu!

- Tais-toi, Aylol, murmura Lolya qui était la seule à entendre les paroles de son arme. Il n'a pas besoin de savoir… de toute façon, ce n'était qu'un mauvais rêve.

- Ce n'est pas ce que tu lui as dit tout à l'heure, s'amusa la lame de Baal. Tu parlais de vision... et une vision, ce n'est pas un cauchemar. Nous avons vu l'avenir, ma chère amie... et ce n'était pas encourageant pour ton amoureux!

- Ah, tais-toi! Je sais ce que j'ai dit, pas besoin d'une casse-pieds pour me faire la morale!, se fâcha Lolya. Je te rappelle qu'il arrive que les visions ne soient pas justes. Parfois, elles sont déformées par des émotions...

- Euh... ça va Lolya?, lui demanda Amos qui l'avait entendu parler toute seule.

- Oui... oui, je..., balbutia la nécromancienne. Ne t'en fais pas, tout va bien!

- Tu lui raconteras ce que tu as vu?, insista Aylol. Tu lui parleras de sa condamnation? Tu lui diras pour les masques? Tu ne peux certainement pas taire la prison du Tartare et les profondeurs des Enfers!

- Non. Je ne dirais rien, trancha la fille. Il n'est pas bon de parler de l'avenir!

Aylol rigola de bon cœur.

- Tant mieux, fit-elle. Quand il sera enfermé, nous vivrons beaucoup mieux sans lui!

Chapitre 9
Sur les terres du roi Araha

Béhémoth et sa compagne Léviathan poursuivaient leur voyage vers le nord. Ayant quitté les Vertes Plaines des hommes-taureaux, ils avaient suivi le cours d'une longue rivière traversant les terres du roi Araha. Sur ces rives, les deux messagers des Enfers ne s'étaient pas gênés pour semer la mort dans les quelques malheureux villages croisés sur leur route. Les pauvres arahanéens qu'ils avaient massacrés, majoritairement des pêcheurs de race humaine tout à fait inoffensifs, ne possédaient même pas d'armes pour se défendre. Mais Béhémoth et Léviathan ne se souciaient pas de ce genre de détails, car leur but consistait à semer le chaos sur leur passage afin d'attirer l'attention d'Amos Daragon. Plus il y aurait de morts, plus vite le porteur de masques rappliquerait afin de mettre un terme à leur carnage. Ainsi, Béhémoth et Léviathan pourraient le capturer et le ramener avec eux dans les Enfers où une geôle bien froide l'attendait dans la prison du Tartare.

- Oh! Regarde au loin la mer!, s'exclama Léviathan. Elle est gigantesque!

- Elle est aussi belle et mystérieuse que toi ma belle épouse, répondit Béhémoth avant de consulter sa grande carte de voyage.

- Quel charmeur!, gloussa Léviathan, enchantée. Tu ne tariras donc jamais d'éloges à mon égard?

- J'ai encore deux fois cette mer de compliments à t'adresser, belle déesse de la mort! Mais si tu permets que mes yeux quittent ta beauté un instant et qu'ils se déposent sur notre carte, ma douce, je pourrai ainsi te montrer que cette gigantesque flaque d'eau se nomme la Mer sombre! Quel joli nom, n'est-ce pas?

- Oui, en effet! Tu crois, mon trésor, que nous pouvons prendre un instant pour nous y baigner?

- Possible, mais nous perdrons beaucoup de temps, répondit Béhémoth, dont le sourire laissait entrevoir ses dents noires et pourries. Peu importe, tu sais que je ne peux rien te refuser.

Léviathan eut un brusque mouvement de tête. Son oreille avait capté quelque chose.

- Chut!, fit-elle. Tu entends?

Béhémoth se concentra.

- Oui, j'entends bien… il s'agit du martèlement de chevaux en course. Je crois que nous aurons bientôt de la compagnie.

- J'espère qu'ils seront nombreux, car je commence à avoir faim!

- En attendant, ma petite chérie, il vaudrait mieux disparaître par mesure de protection, proposa Béhémoth. Qu'en penses-tu?

- Je crois que tu as bien raison, acquiesça-t-elle.

Léviathan leva un bras au ciel et prononça une formule magique. Les deux monstres s'évaporèrent aussitôt.

Quelques instants plus tard, un éclaireur arahanéen accompagné d'un grand lamassou s'arrêta précisément à l'endroit ou Béhémoth et Léviathan s'étaient évaporés.

- Curieux, les pistes s'arrêtent ici, dit l'humain. Vous croyez qu'ils nous ont repérés, maître? Pourtant, il me semble bien que nous avons été très prudents.

Le lamassou, un colossal taureau ailé à la tête et au torse humains, scruta alors l'horizon autour de lui. Trois fois plus grande qu'un être humain normal, la créature à la barbe rectangulaire, parfaitement taillée, porta la main à son front afin de couper les rayons aveuglants du soleil.

- Je ne sais pas… C'est la première fois que je chasse de telles bêtes. Chose certaine, il n'y a personne à deux lieues à la ronde, dit le lamassou dont la vue perçante avait fait sa renommée.

- Les assassins se seraient donc envolés!, en déduisit l'éclaireur. Qu'en pensez-vous, maître, ces monstres en ont-ils la capacité?

- Possible, répondit le lamassou en examinant une fois de plus les alentours. À moins qu'ils aient le pouvoir de se voiler à notre regard… Notre chaman nous a bien mis en garde contre leur puissante magie.

- Alors que faisons-nous? Il vaudrait peut-être mieux… enfin, je ne veux pas vous dire quoi faire, maître, mais…

- Oui, je comprends ce que tu veux me dire. Attendons, nos frères seront bientôt là!

- Mais… le sable vient de bouger à côté de vous!, remarqua soudainement l'éclaireur. Regardez, on dirait que…

- Où ça!?

À peine eurent-ils le temps d'apercevoir leurs adversaires, que les deux compagnons tombaient par terre dans une mare de sang. Béhémoth les avait violemment frappés de son grand marteau de guerre. Ils n'eurent aucune chance.

Lorsque l'armée du roi Araha arriva sur les lieux, les soldats trouvèrent les corps démembrés de leurs amis. Sous le choc, la centaine d'humains qui composaient les troupes dégainèrent aussitôt leurs armes. Quant aux lamassous, une dizaine en tout, ils se positionnèrent derrière les humains afin de s'en servir comme boucliers. Une fois en sécurité, ceux-ci dégainèrent leurs arcs et arbalètes.

Les troupes étaient prêtes au combat, mais il n'y avait pas un ennemi à affronter. Au bout de quelques minutes, il n'y avait toujours rien, sinon les bourrasques d'un vent sec et chaud.

C'est alors qu'un lamassou orné de colliers et de bijoux, s'appuyant sur un long bâton sculpté à l'image de divinités mi-homme, mi-animal, s'avança vers les deux cadavres. Il s'agissait du plus puissant chaman du royaume d'Araha, le conseiller personnel du grand souverain immortel.

Cérémonieusement, il observa les cadavres. Du bout des doigts, il palpa le sable puis donna un grand coup de son bâton sur le sol. Comme par magie, Béhémoth et Léviathan apparurent devant lui. Les guerriers arahanéens reculèrent d'un pas en poussant des exclamations de surprise.

- Tu es habile!, grogna Béhémoth en serrant les dents. Mais je n'aime pas être piégé!

- Malgré ton talent, chaman, tu mourras!, ajouta Léviathan, prête à lancer un sort.

Contre toute attente, le lamassou sourit et fit signe à ses guerriers de ranger leurs armes.

- Que voici le grand Béhémoth et sa douce Léviathan!, lança le chaman. Mes dieux m'ont averti de votre arrivée en ce monde. Soyez les bienvenus! Vous foulez les terres du grand Araha, l'éternel souverain qui règne et régnera encore pour des siècles!

- L'accueil est cordial, lui répondit Béhémoth, surpris. Je ne m'attendais pas à cela. J'aurais cru devoir vous exploser la tête pour ensuite étriper tous vos hommes! Mais je me rends bien compte que mon arme ne servira pas aujourd'hui.

- Pour ma part, vous m'êtes plus sympathiques que tantôt, enchaîna Léviathan. Tant que vous aurez envie de respirer, je vous invite à continuer dans cette veine!

Toujours très calme, le lamassou leur présenta son plus beau sourire.

- Je me nomme Hamilcar, et suis enchanté de vous rencontrer! Notre maître à tous, le souverain éternel, vous espère ce soir à sa table… nous ferez-vous l'honneur de votre présence?

- Ça dépend du menu!, se réjouit Béhémoth. Je suis un peu capricieux, il me faut de la viande, rouge de préférence.

- Moi aussi, j'ai la mauvaise habitude de manger la viande saignante!, ajouta Léviathan.

- Les lamassous sont de fins gourmets, nous ne mangeons que des êtres humains, répondit le chaman.

- Intéressant!, s'exclama Béhémoth.

- Enfin, des êtres de bon goût!, se réjouit Léviathan.

- Je vois que je m'adresse à des connaisseurs, continua Hamilcar. Nous élevons les êtres humains en troupeaux et les engraissons bien avant de les cuisiner! Chez nous, au pays d'Araha, il existe près de quatre cents façons de les préparer et de les servir. Notre tartare d'enfant est particulièrement savoureux! Il fond dans la bouche…

- Et ceux-là, les zigotos de votre armée?, demanda Léviathan. Nous allons les manger?

- Non… enfin, pas tout de suite!, expliqua Hamilcar. L'humain est notre produit de base par excellence! Nous faisons tout avec ces petites créatures. Ils sont nos serviteurs, nos guerriers, nos esclaves et finalement… notre nourriture! Il s'agit d'une race très versatile et talentueuse, mais dépourvue d'âme et de conscience. Pour eux, les lamassous sont… comment dirais-je… une sorte de dieu sans qui leur existence n'aurait pas de sens. Les humains sont un peu bêtes, mais leur fidélité est remarquable! Voyez, je vous donne un exemple...

Le chaman se retourna vers les membres de son armée et pointa du doigt un des guerriers.

- Toi, lui dit-il, donne-moi ta vie!

Aussitôt, l'homme dégaina son arme et se suicida sans poser de question. L'épée au travers du corps, il tomba face contre terre. Dans les rangs, personne ne sembla choqué ou exaspéré d'une telle cruauté. Telle était la vie des êtres humains dominés par les lamassous.

- Vous voyez? Ils sont complètement dociles et dévoués! C'en est presque touchant de les voir aussi fragiles, sans volonté et si serviles.

Béhémoth sourit devant le spectacle et Léviathan, ravie, applaudit.

- En ce monde, enchaîna Hamilcar, les lamassous sont les êtres supérieurs à qui les dieux ont confié la saine gestion de toutes les ressources. De par notre race, nous avons droit de mort sur tous les volants, les rampants, les marchants ou les aquatiques qui nous entourent. Tout est à nous! Cela est très clairement écrit dans les livres de nos prophètes! Araha, le souverain éternel, est le roi incontesté de tout ce qui vit sur cette terre.

- Mais moi, je ne suis pas assujetti à votre roi, fit Béhémoth. Léviathan non plus!

- De toute évidence, non!, répondit le chaman. Vous êtes des voyageurs en mission et votre royaume n'a rien de terrestre. Voilà pourquoi vous êtes considérés comme des égaux et qu'à la table de l'éternel souverain vous êtes conviés!

- Il est charmant ce lamassou, n'est-ce pas?, fit Léviathan à Béhémoth.

- Oui, acquiesça le démon. Alors, c'est décidé! Nous acceptons votre invitation avec grand plaisir. Allons goûter cette fameuse cuisine!

- J'en ai l'eau à la bouche!, s'empressa d'ajouter Léviathan en se pourléchant les babines.

Ainsi, les troupes se mirent en route pour Bécurast, la cité royale du roi Ahara. Après quelques heures de marche dans un désert aride de galets, Léviathan et Béhémoth aperçurent se découper à l'horizon les premières constructions.

En comparaison avec de nombreuses cités de ce monde, la ville des lamassous n'avait rien de bien extraordinaire. Composée presque exclusivement de petites maisons de pierre à deux ou trois étages entassées les unes sur les autres, elle avait l'allure d'un gigantesque amoncellement de cages. Des escaliers taillés à même les structures, beaucoup d'échelles de bois et des cordes pendantes, çà et là, servaient aux habitants pour se déplacer d'une porte à l'autre.

- Elle est bien laide cette ville, n'est-ce pas mon amour?, s'extasia Léviathan. Moi qui croyais que notre cité infernale avait le monopole du mauvais goût et du manque total de planification, je vois bien aujourd'hui que nous avons encore beaucoup à apprendre de ces lamassous. Pour créer une telle abomination, il faut avoir beaucoup de talent!

- À qui le dis-tu!, répondit Béhémoth. C'est certainement l'endroit le plus laid et déprimant que j'ai vu de ma vie, et j'en ai vu des horreurs, tu le sais! Bécurast est un endroit où l'on se sent bien, tout de suite, comme ça! C'est épatant! Moi aussi, ma douce chérie, je lève mon chapeau au génie lamassou.

Sans grands repères historiques ni monuments prestigieux, la ville ressemblait à une fourmilière où s'entassaient près d'un million d'êtres humains.

- Dans Bécurast, expliqua fièrement le chaman lamassou, il n'y a aucun service de base pour les êtres humains. Pas de latrines et encore moins d'eau potable! Le surpeuplement force les humains à partager régulièrement la même pièce pour préparer à manger ou pour dormir. Ainsi, en plaçant plusieurs familles sous le même toit, nous économisons sur les nouvelles constructions et nous augmentons significativement, grâce aux maladies, le taux de mortalité. Depuis que nous pratiquons cette politique, nos abattoirs sont presque vides et tous les lamassous mangent à leur faim!

- De toute évidence, vous êtes brillants!, le complimenta Béhémoth.

- C'est presque aussi inhumain que l'Enfer!, ajouta Léviathan. En tout point, c'est une grande réussite!

- Mais ce n'est pas tout!, se vanta Hamilcar. Regardez-les travailler! Ils sont beaux à voir!

Comme l'avait expliqué le chaman à ses invités, à Bécurast, les êtres humains étaient considérés comme du bétail et leur vie n'avait aucune valeur. Sous le regard attentif de milliers de lamassous occupés à faire travailler le troupeau des esclaves, les habitants accomplissaient à coups de fouet des tâches bien précises au sein de la gigantesque communauté. De leur naissance jusqu'à leur mort, les hommes vivaient dans l'unique but de satisfaire la volonté des lamassous. Des centaines de tours de garde, très hautes, ceinturaient la ville afin de parer aux tentatives d'évasion.

- Les tourelles de surveillance que vous voyez un peu partout sont devenues presque inutiles, expliqua Hamilcar qui jouait au guide touristique. Les humains sont si bien conditionnés à leur sort qu'ils ne pensent plus à fuir! Imaginez, le mot liberté n'existe même plus dans leur langue. Ils n'ont aucune idée de ce que sont l'autonomie et l'indépendance… Entre nous, il n'y a plus aucun garde dans la moitié de ces tours et ceux qui désireraient prendre la clé des champs n'auraient aucun mal à le faire!

- Vous leur avez planté une frontière dans la tête, comprit Léviathan. Ils ne peuvent pas aller plus loin que leur imagination est capable de les porter. Comme ils n'ont plus de rêves, ils n'ont plus d'espoir… c'est fantastique!

- Le plus extraordinaire, continua Hamilcar, c'est que nous n'avons plus besoin d'intervenir pour les soumettre, car ils le font entre eux. Docilement, les parents acceptent leur sort et transmettent leur asservissement à leurs enfants! De génération en génération, ils deviennent plus obéissants!

Si la cité des lamassous n'avait aucun intérêt pour quiconque ayant un peu de bon goût, il en était autrement pour le palais du souverain éternel. Dix fois plus haut que le plus grand arbre du monde, ce bâtiment d'une trentaine d'étages était gigantesque. Comptant près de mille pièces, il abritait des galeries parfois aussi longues qu'une lieue, d'innombrables salles de banquet, d'autres richement décorées à des fins protocolaires, des statues d'or massif, les plus beaux tapis du monde ainsi que des fresques magnifiques peintes à la gloire du souverain éternel. Sa construction, ayant nécessité au-delà de vingt mille esclaves, avait complètement épuisé toutes les richesses naturelles du pays. Tout le minerai et le bois du royaume avaient été utilisés pour l'érection de ce titanesque palais.

- Autrefois, la ville était entourée d'une luxuriante végétation, expliqua Hamilcar à ses invités. Heureusement, il ne reste plus rien de cette sordide époque! Aujourd'hui, toute la contrée est désertique et nous en sommes fiers. C'est l'une de nos grandes réalisations!

- Vous avez de quoi vous enorgueillir!, s'exclama Léviathan, admirative. Ce ne sont pas tous les peuples qui comprennent les grands bienfaits de la destruction.

- En effet, il faut être sage pour mener à bien une aussi belle entreprise de désertification! C'est impressionnant.

- Ces compliments me touchent énormément, répondit Hamilcar, visiblement très ému. Je les rapporterai au souverain éternel qui s'en réjouira aussi.

Le lamassou et ses invités pénétrèrent dans le palais.

- Je vous ferai visiter plus tard, proposa Hamilcar, car nous sommes attendus dans la salle des banquets! Le souverain éternel a très hâte de vous rencontrer.

Béhémoth et Léviathan n'y virent aucun inconvénient, d'autant plus qu'ils avaient très faim.

- Oh, je dois vous dire que le roi ne veut voir que des gens à l'intelligence supérieure!, poursuivit le chaman. Je ne vous en avais pas parlé avant, car de toute évidence, vous faites partie de cette catégorie.

Puis il poussa une lourde porte.

- Voici notre souverain éternel, le grand Araha!, dit fièrement le lamassou en pénétrant dans une pièce où une grande table emplie de victuailles attendait les invités.

Le trône du roi était vide.

- Ce sont les démons dont je vous avais parlé, souverain éternel; ils sont venus afin que nous les assistions dans leur grande mission. Vous voyez de qui je parle? Les prophéties… oui, en effet, celles-là mêmes! Malgré votre grand âge, vous n'avez pas perdu votre vivacité d'esprit!

Béhémoth regarda sa femme du coin de l'œil. Tout comme lui, Léviathan ne voyait personne sur le trône. Pas de doute, le lamassou les avait pris pour des imbéciles.

- Ô souverain éternel! Voici le guerrier Béhémoth et sa femme magicienne, Lévitahan. Ils ont fait un long et pénible voyage pour venir jusqu'à nous. Je vous laisse leur adresser votre mot de bienvenue sur nos terres, termina Hamilcar en s'inclinant très bas.

Un long silence tomba dans la salle. Pendant que les démons faisaient mine de voir et d'entendre le souverain, Hamilcar feignait de boire les paroles de son maître.

Après un moment, Lévitathan s'inclina pour saluer le souverain. Elle fit discrètement signe à Béhémoth d'en faire autant.

- Nous sommes ravis d'être ici, dit-elle en jouant le jeu. Et votre accueil est magnifique! Nous sommes touchés…

- Oui, continua Béhémoth, c'est un honneur!

Hamilcar sourit. Son plan fonctionnait à merveille. Pour ne pas être vus comme des simples d'esprit, ses invités avaient spontanément accepté de jouer la comédie. Cette ruse, passée de chaman en chaman depuis bientôt sept siècles, leur permettait de gouverner sans assumer la responsabilité de leurs actes.

- Notre mission, souverain éternel? Très simple!, feignit de répondre Léviathan en déroulant une grande affiche représentant la figure d'Amos Daragon. Nous sommes à la recherche de ce jeune homme, car il a été jugé et condamné par les dieux. Nous devons le ramener dans le Tartare où une geôle de la prison l'attend. Pardon... que dites-vous?

- Je crois qu'il est en train de nous dire qu'il mettra toutes ses armées à notre disposition!, lança Béhémoth qui n'était pas aussi bête qu'il en avait l'air.

- C'est trop bon de votre part, enchaîna Léviathan. Vraiment, ce n'était pas nécessaire!

Le chaman lamassou eut soudainement un léger mouvement de recul. La situation semblait échapper à son contrôle. Le roi n'avait pas pu promettre une telle chose puisqu'il n'existait pas!

- Je ne crois pas que le souverain éternel ferait une telle chose!, dit-il d'une voix incertaine. D'ailleurs, ce n'est pas ce qu'il vous a proposé. Il a bien quelques soldats qui pourraient vous venir en aide, mais pas toutes ses armées... Je suis désolé.

- Mais comment osez-vous contredire votre maître, Hamilcar?, s'indigna faussement Béhémoth. Ce n'est pas bien de vouloir profiter d'un souverain âgé! Mais quel manque de respect!

- Mais non... je... je..., balbutia le chaman.

- Qu'avez-vous dit, ô grand roi des lamassous?, continua Léviathan, stimulée par l'absurdité de la situation. Oui, je sais que votre fonction est difficile et qu'un moment de répit vous ferait sans doute du bien. Si vous saviez comme je vous comprends… Dans ce cas, laissez-moi vous faire une proposition! Prenez quelques jours de vacances et nous dirigerons, moi et Béhémoth, ce royaume à votre place. Qu'en pensez-vous, souverain éternel?

- J'en pense que notre roi n'est pas du tout d'accord!, s'interposa Hamilcar. Ce ne sera vraiment pas possible! Notre souverain tant aimé ne laisserait jamais son siège à quiconque, sinon à un lamassou, comme moi!

- Mais voulez-vous vous taire, Hamilcar, et cesser de couper la parole à ce pauvre homme! Ne trouvez-vous pas ce chaman un peu difficile à endurer, grand souverain éternel?, demanda Béhémoth en caressant le pommeau de son épée. Vous êtes d'une patience à toute épreuve! En fait, je vous admire, parce que moi, je lui aurais tranché la gorge depuis un bon moment déjà…

- Oh, mais oui!, s'exclama Léviathan. Nous pouvons facilement vous débarrasser de lui! Vous n'avez qu'à le demander. Nous n'aurions jamais l'audace de vous désobéir!

- Mais… mais…, bredouilla nerveusement Hamilcar, il n'a pas pu vous dire cela… vous voyez bien… il… il n'y a personne sur le trône!

En un clin d'œil, Béhémoth dégaina son arme et trancha avec une précision d'orfèvre l'oreille droite d'Hamilcar. Il le plaqua ensuite de tout son poids contre le mur.

- Mais oui, il y a quelqu'un sur le trône, grogna-t-il au chaman. Regarde! Ouvre bien tes yeux et vois!

Léviathan sourit de toutes ses dents sales et prit place sur la grande chaise royale.

- Tu as une reine maintenant, continua Béhémoth. Voici la douce Léviathan Première, souveraine incontestée du peuple des lamassous! Va tout de suite annoncer la bonne nouvelle à tes semblables!

- Mais c'est impossible... il y aura une révolte! Araha est notre roi!

- Tous ceux qui voudront défier le pouvoir de la grande Léviathan devront m'affronter!, menaça Béhémoth. Sache qu'à moi seul, sans l'aide de ma gentille femme, je peux exterminer ta race entière... je frappe plus vite et plus fort que la foudre!

- Mon beau Béhémoth?, demanda Léviathan en s'amusant à jouer à la reine.

- Oui, mon amour?

- Tu demanderas à Hamilcar, notre nouveau serviteur, de me faire préparer un bain chaud parfumé à la rose! J'aurai aussi besoin de nouveaux vêtements en fine soie et de beaucoup de bijoux en or. Aussi, tu lui demanderas de sacrifier un lamassou pour le dîner de ce soir, je suis fatiguée de manger des êtres humains et j'ai très envie de changer de menu.

- Mais… mais c'est horrible! Je ne peux pas… je ne peux pas tuer l'un des miens!, s'indigna le chaman.

- Si tu ne le fais pas, j'ordonnerai que l'on mette à mort ta femme ou tes enfants… si tu n'en as pas, eh bien, ce sera ton père ou ta mère que nous mangerons. Dis-moi, Hamilcar, tu as une grande famille? Des frères? Des sœurs?

- Mais pourquoi faites-vous cela? Vous êtes des monstres!

Béhémoth et Léviathan explosèrent d'un rire aussi tonitruant que sadique.

- Oui, cher Hamilcar, nous sommes des monstres, confirma Léviathan d'un ton pervers. Tu vois, mon stupide lamassou, nous ne faisons pas le mal… car NOUS SOMMES LE MAL! Il est dans notre nature d'être plus cruels que la cruauté elle-même. Tu voulais peut-être nous impressionner avec ton éternel souverain invisible, mais nous ne sommes pas dupes aux ruses des mortels. Nous avons tout de suite compris qu'en utilisant ce stratagème, tu régnais en hypocrite…

- Je vous ai reçu dans ce palais afin que vous nous aidiez à conquérir d'autres terres, avoua Hamilcar. Je voulais faire un échange… notre aide pour retrouver votre fugitif contre votre appui dans une guerre contre les royaumes voisins! J'étais de bonne foi!

- Pour notre part, nous ne sommes JAMAIS de bonne foi!, répliqua Béhémoth en enfonçant son poing dans les côtes du lamassou. Alors, va tout de suite exécuter mes ordres! Une fois que nous aurons bien mangé, je réunirai les armées et me présenterai comme votre nouveau commandant.

Le souffle court, Hamilcar quitta la salle en se disant qu'il avait eu tort d'essayer de tromper plus fort que lui. En quelques secondes, il était passé de roi à serviteur. Le bon temps où il se servait d'Araha l'invisible pour faire exécuter ses volontés et ses caprices était bien terminé. Une nouvelle vie venait pour lui et les lamassous, et celle-ci ne serait pas de tout repos.

- Décidément, mon bel amour, tout nous réussit!, s'exclama Léviathan une fois qu'ils furent seuls dans la grande salle. En quelques semaines, nous voilà déjà à la tête d'un charmant royaume où tous les habitants sont dociles et comestibles!

- Ensemble, nous pouvons tout accomplir!, répondit Béhémoth.

- Nous devrions nous installer ici pour toujours… c'est si charmant toute cette misère et cette souffrance qui ceinturent le palais!

- Et ne plus jamais revenir à la Cité infernale?, demanda Béhémoth. Penses-y bien…

- Mais non, je blague mon amour!, fit Léviathan. Avec nous comme souverains, les jours de ce royaume sont comptés! Tu connais notre talent pour semer le chaos.

- Oui, mon trésor, c'est notre spécialité!, confirma Béhémoth.

- Et que ferons-nous pour le porteur de masques?

- Nous enverrons des lamassous faire le travail à notre place, qu'en dis-tu?

- Bonne idée!, se réjouit Léviathan. Cela nous permettra de profiter un peu de la vie dans ce palais!

- Tu mérites de te faire dorloter, ma douce…

- Je vais bien en profiter!

Léviathan et Béhémoth se mirent alors à rire comme des désaxés. Leurs éclats de voix, de plus en plus puissants, résonnèrent dans tous les couloirs du palais en glaçant d'effroi les lamassous.

Chapitre 10
Le pays d'Atrum

- Regardez, les trois forêts!, s'exclama Lolya. Je n'ai jamais rien vu d'aussi beau!

Amos et Médousa se précipitèrent aussitôt devant les fenêtres de la nacelle pour admirer le pays d'Atrum. Seul Béorf, que le vertige incommodait, demeura en retrait.

Sous leurs pieds s'étendait à perte de vue la vaste Forêt rouge du Nord dont les feuilles des arbres centenaires avaient une sève de la couleur du sang. À l'Est se déployait la Forêt jaune, presque exclusivement composée de bouleaux dont le feuillage reflétait les rayons dorés du soleil. Finalement, à l'Ouest, la Forêt bleue était peuplée uniquement de conifères aux aiguilles aussi claires que le saphir.

- Ce n'est pas la prrremière fois que nous surrrvolons cet endrrroit, commenta Groom. Les arrrbres bleus emmagasinent la lumière du jour et la rendent au coucher du soleil. C'est un spectacle d'une rarrre beauté!

- Voyez le lac comme il est beau!, s'exclama Médousa. L'eau est si claire qu'il est possible de voir nager les plus gros poissons!

Flag s'extirpa la tête de son poste de pilotage.

- Je vous dépose où?, demanda-t-il.

- Euh… je ne sais pas trop!, répondit Amos, embarrassé.

- Sur le bord du lac, à la jonction des trois forêts!, s'exclama Médousa. Est-ce possible?

- Oui, fit Flag.

- D'accord!, acquiesça Amos.

- Tant mieux!, se réjouit la gorgone, j'ai tellement envie de me baigner!

La flagolfière descendit lentement et se posa, comme prévu, près du lac. Heureux de retrouver le plancher des vaches, Béorf se précipita à l'extérieur de la nacelle. Même qu'il se déchaussa afin de sentir la douceur de l'herbe sous ses pieds.

De son côté, Médousa bondit elle aussi hors du dirigeable afin de se précipiter dans l'eau. La gorgone fut aussitôt saisie d'un bien-être qu'elle n'avait jamais connu auparavant. Sa peau, qui prenait toujours quelques minutes avant de passer du vert au bleu lorsqu'elle se baignait, devint instantanément indigo.

Dans le pays d'Atrum, tout était plus beau, plus éclatant que sur le reste du continent. Amos remarqua tout de suite que les forêts autour de lui débordaient de vie. On pouvait entendre le chant de milliers d'oiseaux et voir au sol des pistes de cerfs, de sangliers et de lièvres.

- Regarde Lolya, dit Amos à sa copine. Il n'y a pas de traces de loups, de renards ou même d'ours près du lac. C'est peut-être trop tôt pour en tirer une conclusion, mais ce pays ne semble pas abriter de prédateurs!

- L'observation est juste, répondit une voix mélodieuse derrière Amos. Vous êtes sur les anciennes terres des elfes, un royaume où la vie sous toutes ses formes est respectée.

Amos se retourna et vit une magnifique créature élancée dont l'abondante chevelure était composée d'un épais feuillage de vigne. Son corps semblable à celui d'un arbre semblait solide et vigoureux, alors que sa peau d'écorce avait la délicatesse d'une fleur.

- Bonjour, dit Amos, un peu étonné. Je me nomme…

- De ta part, les présentations ne sont pas nécessaires, jeune porteur de masques!, se réjouit la créature. Chez les dryades, tu es une légende et mon peuple chante tes exploits!

- Ah oui?

- Nous louons la force et la sagesse de la Dame blanche en ces terres, expliqua la dryade, et nous sommes toutes en admiration devant tes exploits. Nous connaissons aussi Lolya la nécromancienne, Béorf le béorite, chef de clan, et Médousa la gentille gorgone. Nous savons tout de vous et de vos aventures! Gwenfadrille du bois de Tarkasis est aussi notre amie!

- Voilà qui explique tout!, rigola Amos.

- Heureuse de vous rencontrer, dit Lolya en inclinant poliment la tête.

- Et que nous vaut cette visite?, demanda la dryade.

- Nous sommes là pour rencontrer les elfes noirs, précisa Amos. Nous recherchons le peuple d'Arkillon qui fut l'un des membres de la première génération des porteurs de masques.

- Oh... je vois, répondit la dryade d'un air embêté. Les elfes noirs sont les derniers habitants humanoïdes de ces forêts et ils n'aiment pas être dérangés. Ils ne sont pas plus d'une centaine... mais je vais voir ce que je peux faire. Vous pouvez m'attendre un peu? Je reviens bientôt.

- Mais qu'est-il advenu des autres elfes?, demanda Lolya, intriguée.

- Oh! Vous ne savez pas?, s'étonna la dryade. Après l'échec des porteurs de masques elfiques, les dieux ont joint leurs forces et les ont... éliminés. Seuls les elfes noirs, qui vivent sous la terre, ont réussi à éviter le génocide. Depuis, les grandes forêts qui s'étendent autour de nous sont vides... enfin, vides d'elfes, car la vie sauvage y abonde.

- Ce fut une terrible punition pour les peuples elfiques!, s'étonna Lolya.

- Une punition qu'auraient pu subir les êtres humains si Amos Daragon avait échoué sa mission, ajouta la dryade. Mais enfin, tout s'est bien terminé, n'est-ce pas?

- En effet, confirma Amos.

- Je reviens... attendez-moi, demanda la dryade.

- Parfait, nous ne bougerons pas d'ici!

Amos et Lolya retournèrent à leurs amis et décrivirent la rencontre qu'ils venaient de faire.

- Trrrès bien!, fit Groom. En attendant le rrre-tour de cette crrréature, je me propose du vous fairrre un repas en plein air, juste ici, prrrès du lac!

- Excellent!, s'exclama Béorf.

Les préparatifs commencèrent aussitôt, mais Amos n'y participa guère. Il s'excusa auprès de ses amis et se retira un peu plus loin où il continua d'écrire, dans un grand livre à la reliure de cuir, ses idées pour la construction du Sanctuaire des Braves. Ce recueil de notes, de plans, d'explications et de graphiques, il l'avait commencé depuis sa rencontre avec Arkillon dans l'Éther. Avant de présenter le projet à ses amis, il désirait que sa vision de l'endroit soit claire et harmonieuse. Alors qu'il était penché sur ses écrits, Amos ressentit un pincement dans son cou, mais trop concentré sur son travail, il n'y prêta pas attention. Une grande fatigue l'envahit soudainement. Il ferma les yeux quelques secondes pour se reposer.

Pendant ce temps, Béorf, qui se préparait à faire cuire sur le feu de belles grosses saucisses de sanglier, ressentit un léger picotement dans le cou.

- Prends ça, moustique!, dit-il en se frappant la nuque. Ta dernière heure est venue! On n'attaque pas impunément un béorite!

Aussitôt, il ressentit un léger étourdissement.

- Je dois avoir trop faim, pensa-t-il, c'est certai-nement un message de mon estomac! Après tout, deux heures sans manger, ce n'est pas très bon pour la santé… il me faudrait un petit quignon de pain et du fromage…

Puis, comme il cherchait à se sustenter, sa vue s'embrouilla tout à coup.

- Décidément, je dois avoir vraiment faim… parce que je… je ne me suis jamais senti aussi… aussi mal… en fait, je suis peut-être malade… ce ne peut être le vertige, j'ai les deux pieds bien au sol… pourtant, ça tourne!

Cherchant du regard ses amis, Béorf constata qu'ils étaient tous effondrés sur le sol.

- Mais qu'est-ce qui se… se passe ici?!, fit-il en luttant pour ne pas perdre connaissance. C'est certainement cette piqûre de… de moustique qui…

À son tour, le béorite mordit la poussière.

Chapitre 11
La colère du sage

- Maître, pouvez-vous nous expliquer ce qu'est le savoir?

Sartigan était devant un groupe d'une dizaine d'enfants de Berrion. Chaque mois, il faisait le trajet d'Upsgran jusqu'à la cité de Junos pour offrir son enseignement aux jeunes les plus doués du royaume. Cette tâche, qu'il affectionnait encore plus que l'horticulture, le remplissait chaque fois de joie. Le vieux sage aimait côtoyer les esprits curieux et répondre à leurs interrogations. Leur présence lui rappelait ses conversations avec Amos et le plaisir qu'il ressentait, de jour en jour, à voir grandir son élève en sagesse.

- C'est une très bonne question, répondit Sartigan en se grattant la barbe. C'est même une excellente question!

Ces élèves, triés parmi les plus brillants et les plus courageux du royaume des Quinze, avaient une incroyable soif de connaître les mystères de la vie. Âgés de sept à douze ans, ces jeunes étaient considérés par le grand Junos comme étant l'avenir de son royaume. Ainsi, il leur offrait des cours avancés en stratégie militaire, en architecture, en langue et en culture des peuples étrangers, mais aussi en philosophie. Cette dernière discipline, enseignée par Sartigan, consistait à leur présenter un regard différent sur le monde.

- Nous savons que l'apprentissage est important, continua le gamin, mais à quoi toutes les matières que nous apprenons vont-elles nous être utiles? Il ne me sert à rien de connaître le mouvement des astres si je ne compte pas devenir astronome, non? Je ne suis pas paresseux et je veux bien apprendre, mais au-delà de ce fait, j'aimerais savoir pourquoi je dois apprendre?

- Amos Daragon m'a déjà posé cette même question, fit Sartigan. En fait, je lui ai expliqué que rien ne sert à rien, jusqu'à ce que ce « rien » serve enfin à quelque chose!

Le garçon fit la moue et se gratta la tête.

- Je ne comprends pas Maître, fit-il honteux en baissant les yeux. Je n'ai pas l'intelligence du grand porteur de masques, je suis désolé…

- Ne te désole pas, lui non plus n'a pas compris l'enseignement du premier coup! Les gens les plus intelligents ne sont pas ceux qui comprennent tout immédiatement. Ce sont ceux qui doutent et cherchent! Ce sont ceux qui posent des questions! Alors, je t'explique… Tu vois le bâton de marche que j'ai posé contre le mur avant d'entrer dans la classe?

- Oui, je le vois.

- Je traversais la forêt pour venir d'Upsgran à Berrion, lorsque j'ai découvert ce long bâton. Ne sachant pas s'il allait me servir, je l'ai quand même emporté avec moi. Heureusement, car un peu plus loin, je me suis retourné le pied et j'ai dû continuer mon chemin en m'appuyant sur lui. Sans l'aide de ce bâton, je serais peut-être encore sur la route implorant qu'on vienne à mon aide. Plus on connaît de choses, plus on a de bâtons de marche sur lesquels s'appuyer en cas de besoin. Dans la forêt, ce bâton n'était rien qui vaille, jusqu'à ce qu'il devienne ma béquille!

- Le savoir nous rend donc moins dépendant des autres et de ce fait, plus libre, c'est ça?, demanda l'élève, incertain.

- Cette réponse me prouve bien que tu es aussi intelligent et sage qu'Amos Daragon, le félicita Sartigan. L'homme qui cesse d'apprendre est bien à plaindre! Encore aujourd'hui, j'apprends de nouvelles choses tous les jours. À l'instant, tu viens de m'enseigner que je ne dois jamais sous-estimer mes élèves! Bravo!

Sous les applaudissements de la classe, le jeune garçon, fier de lui, sourit de toutes ses dents.

- Un jour, chacun de vous trouvera sa propre voie dans la vie, continua Sartigan. Pour l'instant, l'important n'est pas de savoir quel sera ce chemin, mais de vous préparer le mieux possible à accomplir le voyage de votre vie. L'éducation que vous recevez aujourd'hui vous aidera plus tard à éviter les faux pas, mais surtout, à ne pas vous perdre en route.

- Et vous, Maître, quel est votre voie?, demanda un autre élève.

- J'ai emprunté plusieurs routes dans ma vie, raconta Sartigan. J'ai été le disciple d'un grand érudit de mon pays, puis un guerrier respecté et reconnu. Plus tard, je fus chasseur de dragons dans les montagnes de l'Ouest et ensuite, je suis devenu le maître d'Amos Daragon et de Béorf Bromanson. Aujourd'hui, je suis votre professeur. Ma route présente est celle de l'enseignement et de la communication. De plus...

La porte de la classe s'ouvrit soudainement et un soldat de la garde rapprochée de Junos pénétra dans la pièce.

- Je suis désolé de vous déranger, mais le souverain Junos aimerait vous voir immédiatement.

- Cela ne peut pas attendre?, demanda Sartigan. Je suis occupé, vous voyez bien...

- Il en va de l'avenir du monde!, lança nerveusement le soldat.

- Rien que ça!, s'amusa le maître. Dans ce cas, mes élèves me pardonneront certainement ce départ précipité. Mon cours est terminé, vous pouvez rentrer chez vous!

En les saluant, Sartigan se leva et suivit le soldat jusqu'à la bibliothèque du palais où Junos, très angoissé, l'attendait.

- Comme je suis content de vous voir, maître Sartigan! Regardez cela, et dites-moi ce que vous en pensez!

Junos lui présenta une grande affiche où le portrait d'Amos Daragon était bien visible. Il s'agissait de son acte d'arrestation.

- Condamné par les dieux!, lut Sartigan avec surprise. C'est tout un titre!

- C'est un hommoiseau envoyé par notre ami, le grand roi Minho des Vertes Plaines, qui vient tout juste de m'apporter ceci. Il semble bien que les dieux aient décidé de se venger et de punir Amos pour ses actions. C'est terrible! Vous rendez-vous compte, les immortels le condamnent à la prison du Tartare! Cet endroit fut conçu pour les dieux récalcitrants, pas pour les humains!

- Des représailles de leurs parts étaient à prévoir... on ne fait pas d'omelettes sans blanchir les bœufs!

- Sans casser des œufs! Enfin... La prison des dieux!!! Vous imaginez, Sartigan? Il s'agit d'un châtiment destiné aux immortels! Ce ne sont pas de simples représailles, mais bien une manigance afin de le torturer jusqu'à la fin des temps!

- Je crois qu'Amos a le pouvoir de se défendre contre ce complot.

- Non Sartigan, pas contre une condamnation unanime des divinités des plans positifs et négatifs! Avec la Dame blanche affaiblie, Amos n'a pas de chance! Heureusement que sa mère, Frilla, n'est pas au courant, elle serait morte d'inquiétude!

- Elle n'est pas là?

- Non, elle est en voyage pour la semaine, en visite protocolaire à la cour d'Harald aux dents bleues... en fait, elle est partie faire du lèche-vitrines avec la reine des Vikings. Il paraît que c'est la saison idéale pour se procurer de la fourrure de Yack et... et je ne sais quoi d'autre!

- Hum…, fit Sartigan, pensif. C'est également la saison du homard… j'espère qu'elle en profitera! Moi, je l'aime beaucoup lorsqu'il est cuisiné à la béorite, c'est-à-dire avec des airelles et…

- OH! Et si on en revenait à nos moutons!, s'impatienta Junos. L'hommoiseau nous a indiqué que les dieux ont mis deux puissants démons aux trousses d'Amos, et qu'il a réussi à capter leurs noms. Il s'agit de Béhémoth et de Léviathan. Comme je n'avais jamais entendu parler ni de l'un ni de l'autre, je suis tout de suite descendu à la bibliothèque pour faire des recherches.

- Et qu'avez-vous trouvé?

- Rien de bien rassurant!, s'exclama Junos en ouvrant un gigantesque livre de démonologie. Regardez par vous-même! Ils sont là, bien illustrés et bien décrits sur deux pages entières! Ce ne sont pas tous les démons qui ont cette chance!

- En effet, ils doivent être redoutables…

Sartigan se pencha sur le texte et découvrit que Béhémoth y était décrit comme une bête sauvage, impossible à domestiquer. Sa soif inassouvie de destruction n'avait d'égal que son plaisir à semer le chaos partout autour de lui. Cette créature du mal était insensible aux armes forgées par les mortels et ne pouvait être vaincue qu'à certaines conditions, que l'auteur du répertoire ignorait.

Léviathan, quant à elle, était une magicienne aussi compétente et puissante que pouvait l'être un porteur de masques en plein contrôle de ses pouvoirs. Elle commandait aux éléments, mais aussi aux morts. Considérée comme l'un des monstres les plus pervers des Enfers, Léviathan adorait torturer ses victimes et les regarder souffrir pendant de longues heures. La créature se régalait du spectacle de la destruction qu'elle semait sur son passage.

Ce couple de monstres formait donc une paire de dangereux ennemis.

- Amos aura fort à faire avec ces deux-là!, lança Sartigan, maintenant un peu inquiet. Ils ont l'air bien coriaces, mais comme tous les êtres, ils ont sûrement des points faibles…

- Oui, mais avant de trouver leur talon d'Achille, ils auront le temps de faire bien du dégât!, répondit Junos. Quant à Amos, il faut l'avertir tout de suite. Il doit absolument préparer cette terrible rencontre!

- La dernière fois que je l'ai vu, fit le vieux sage, il embarquait dans une flagolfière avec Béorf, Lolya et Médousa afin de se rendre dans le pays d'Atrum.

- Chez les elfes?, s'étonna Junos. Enfin, ce qui en reste! Pourquoi?

- Il voulait leur rendre le médaillon d'un ami à lui… un dénommé Arkillon.

- Oui… je me rappelle, il m'en avait parlé lors d'un dîner! Mais comment faire maintenant pour le joindre? J'aurais pu demander à l'hommoiseau de lui porter le message, mais j'étais si bouleversé que je n'y ai pas pensé.

Soudain, de grands cris de panique résonnèrent dans Berrion et les trompettes annonçant une invasion se firent entendre.

- Mais qu'est-ce que c'est?, s'impatienta Junos en retirant l'épée royale de son fourreau. Une invasion? À cette heure? Et par qui? C'est impossible!

- Cela m'apparaît sérieux!, s'exclama Sartigan. Allons-y!

Le souverain de Berrion et le maître gravirent quatre à quatre les marches menant de la bibliothèque à la cour intérieure du château. Une trentaine de chevaliers de l'équilibre en armure attendaient les ordres du roi. Comme leur souverain, leur surprise était totale.

- À vos chevaux, messieurs! Accompagnez-moi en ville!

Sartigan bondit quant à lui sur son âne. Le maître fut rapidement distancé, mais lorsqu'il arriva enfin au centre de la ville, il eut la surprise de voir cinq gigantesques créatures ailées possédant un corps de taureau surmonté d'un torse humain. Au pied de l'un d'eux gisait le corps d'un jeune garçon.

Junos s'avança pour leur adresser la parole.

- Je suis le souverain de ce royaume et j'exige une explication!, fit-il, enragé. Mes gardes me disent que vous avez pénétré illégalement dans notre enceinte et attaqué sans aucune raison notre population. Même si vous avez la capacité de voler, chez moi, on se présente et on passe par la porte!

- Nous sont lamassous, fit celui qui portait la plus longue barbe et semblait être le chef. Nous sont ici réclame fugitif!

Le lamassou lança au sol quelques affiches réclamant la capture d'Amos Daragon.

- Je ne comprends rien à votre charabia!, lança Junos qui se doutait bien, en réalité, de la raison de leur visite. Gardes! Prenez l'enfant et reconduisez-le tout de suite chez le guérisseur! Il semble sévèrement blessé! Vite!

Aussitôt les gardes s'exécutèrent sans que les lamassous les en empêchent.

Parmi la foule rassemblée autour de la scène, Sartigan étira le cou pour voir qui pouvait bien être le jeune blessé. Tout de suite, il reconnut son élève le plus assidu, celui-là même qui aujourd'hui avait posé tant de questions. Tout de suite, il suivit la garde et se rendit à la maison de guérison.

Très faible, le garçon fut déposé sur une grande table. Aussitôt entourée des trois meilleurs guérisseurs du royaume, la jeune victime luttait pour sa vie. Le maître s'approcha de son élève, tout doucement, afin de lui signaler sa présence.

- Aidez-moi, Maître, chuchota faiblement le garçon… j'ai mal… j'ai très mal… Ils sont arrivés si vite, je… je n'ai pas eu le temps de réagir… j'ai senti leurs crocs… je suis désolé… j'ai tellement mal… je…

- Calme-toi… calme-toi… et pense à un endroit que tu aimes, mon jeune élève, lui murmura Sartigan à l'oreille. Pense à ce lieu et tu trouveras la paix… Concentre-toi bien et tente d'oublier ta douleur…

Le maître posa alors les mains autour de la tête du garçon, ferma les yeux, et utilisa ses propres vibrations afin de le calmer. Aussitôt, l'enfant se détendit et parut apaisé.

- Je vais… je vais mourir?, demanda le garçon, inquiet.

Sartigan leva les yeux vers les trois guérisseurs. Ceux-ci lui firent signe qu'il n'y avait rien à faire. Les blessures étaient trop sévères, le patient avait perdu trop de sang. Il n'avait plus que quelques minutes.

- Oui, mon élève, tu vas mourir, répondit Sartigan sans complaisance.

- Oh… et… et qu'est-ce la mort, maître?

- À vrai dire, cher élève, je ne sais pas… personne ne sait exactement… mais pour ma part, je crois qu'il s'agit d'un passage vers une autre forme de vie. Tu n'as pas à craindre ton départ, car je suis avec toi.

- J'aurais aimé… apprendre beaucoup plus de choses… apprendre encore avec vous… je suis désolé… de mourir.

- Aujourd'hui, c'est encore toi qui me donnes une leçon, répondit Sartigan. Une leçon de courage!

- Merci maître… je suis heu…

L'élève ferma les yeux et poussa son dernier souffle.

- Ce fut un honneur de te compter parmi mes élèves, jeune homme, dit Sartigan. Je comprends maintenant, et plus que jamais, que la vie est injuste. Moi qui me suis parfois demandé comment j'allais mourir, je sais maintenant ce que l'avenir me réserve.

Le maître se leva et posa un dernier regard sur le corps immobile du garçon.

- Sais-tu ce qu'est la vengeance, mon élève? Il s'agit du sentiment le plus laid qui soit, car il transforme à tous les coups l'homme en monstre. Cependant, pour vaincre des monstres, il faut parfois en devenir un soi-même.

Pour une des rares fois de sa vie, Sartigan fut submergé par une colère si forte qu'il faillit hurler de rage. Luttant afin de regagner la maîtrise de ses émotions, il quitta la maison des guérisseurs pour se rendre dans la salle d'armes du palais. Il y choisit une armure de cuir souple, mais robuste, puis empoigna une grande hallebarde. Soigneusement, il retira ses vêtements et enfila son habit de combat.

Pendant ce temps, sur la place centrale de Berrion, Junos négociait toujours avec les lamassous. Tout en menaçant de tuer tous les habitants de Berrion, ceux-ci exigeaient qu'on leur indique où était Amos Daragon.

- Je vous répète que je ne sais pas où il se trouve!, répéta encore une fois Junos. Cessez de me poser toujours la même question, ainsi vous aurez peut-être une réponse différente!

- Si pas maintenant Amos, lamassou détruire maisons et tuer humains, répéta le monstre qui commençait à perdre patience.

- Ici, vous ne tuerez personne, protesta Junos sur un ton menaçant. Tentez quoi que ce soit, et vous serez transpercés de centaines de flèches.

À ce moment, un intendant accourut auprès de Junos et lui glissa quelques mots à l'oreille. Le roi serra alors les dents et fit signe à ses chevaliers de dégainer leurs armes.

- Je me suis trompé, rectifia le souverain. On vient de me dire que vous avez bien tué un habitant de Berrion. Il s'agit d'un jeune garçon remarquablement intelligent et dont les talents auraient pu être d'un grand secours pour l'avenir du royaume. Selon notre loi, cette faute grave devra être punie.

Les lamassous éclatèrent d'un grand rire retentissant.

- Humains viande, viande pas avenir!, rigola la créature à la longue barbe. Nous, tuer… manger humain! Humains soumettre à lamassous! Maintenant!

- Si c'est ainsi que vous le prenez!, fit Junos. Vous êtes en état d'arrestation! Vous serez enchaînés dans nos cachots jusqu'à la tenue de votre procès!

Les lamassous commencèrent à montrer des dents. Pendant que les spectateurs reculaient en cédant toute la place aux chevaliers, une voix parmi la foule se fit entendre.

- Un contre cinq!

Sartigan venait de parler. Dans son armure un peu trop grande, il s'avança devant le lamassou à la longue barbe.

- Moi contre vous cinq!, proposa le maître. Si je gagne, je te laisserai la vie sauve afin que tu m'amènes à tes maîtres, Béhémoth et Léviathan. Si je perds, Junos te dira où est Amos Daragon et ta condamnation sera levée.

- Mais c'est tout à fait ridicule!, lança Junos. Vous n'y arriverez jamais, Sartigan!

- Mon ami, dit Sartigan en se retournant vers Junos, depuis que nous nous connaissons, je ne t'ai jamais rien demandé, mais j'aimerais aujourd'hui que tu m'accordes cette faveur.

- Es-tu bien certain de ce que tu fais?

- Je ne suis jamais sûr de rien. Par contre, je sais au fond de moi que c'est la bonne chose à faire.

- Sartigan, fit Junos, je t'accorde ma confiance… QUE TOUT LE MONDE RECULE ET LIBÈRE LA PLACE, NOUS AURONS DROIT À UN SPECTACLE HORS DU COMMUN!

- Merci, mon ami…

Le lamassou hocha la tête en signe de dérision. Les humains étaient stupides de croire que le petit bonhomme qui se tenait devant eux avait la moindre chance de les vaincre. Minuscules et faibles, les hommes qu'il connaissait avaient toujours été devant lui comme une brebis en face d'un loup. Mais qu'une de ces brebis se rebelle et décide de l'affronter était très amusant.

- Lamassou dire oui, prononça le chef. Nous tous contre toi.

- Alors, en garde, mes petits!, tonna Sartigan en adoptant la position de la crue, une posture de combat un peu ridicule.

Sans plus attendre, les cinq lamassous bondirent sur le maître et lui assenant chacun de violents coups de patte. À leur grande surprise, Sartigan les évita avec une étonnante facilité. Le maître se déplaçait dans l'air à la vitesse d'une aile de colibri. Il était si rapide que les spectateurs avaient même du mal à le suivre. Pendant une bonne minute, Sartigan exécuta une danse gracieuse entre les pattes de ses adversaires. Au rythme des borborygmes des lamassous dont la colère augmentait à chaque attaque infructueuse, il termina sa chorégraphie par un bond spectaculaire qui le plaça à bonne distance de ses adversaires. La foule enthousiaste applaudit à tout rompre.

- Il est plus en forme que moi!, s'exclama Junos, les yeux écarquillés.

- Me voilà bien réchauffé, murmura le maître dans une grande respiration. Il faut maintenant passer aux choses sérieuses.

Exaspéré par la situation, le plus prompt des lamassous se détacha du groupe et fonça à toute vitesse sur Sartigan. Le maître prit une position rappelant celle d'un oiseau de proie et poussa un cri strident qui déchira l'air. Tous les habitants de Berrion sentirent en même temps leur cœur se resserrer comme dans un étau. Plusieurs cessèrent même de respirer pendant quelques secondes alors que d'autres, plus faibles, s'évanouirent.

- Le cri qui tue, murmura Junos en portant une main à sa poitrine. C'est… terrible… J'en avais entendu parler, mais… c'est la première fois que je l'entends.

Le lamassou visé par l'attaque de Sartigan tituba quelques instants puis s'effondra au sol. Le cœur éclaté, il tomba aux pieds du maître dans un nuage de poussière. Pendant que les quatre autres lamassous, étourdis par les vibrations secondaires du cri, tentaient de recouvrer leurs esprits, Sartigan empoigna sa hallebarde et se précipita sur eux. Toujours aussi rapide et vif, il trancha trois gorges de lamassous et termina son mouvement en plaquant la lame de son arme sous la mâchoire du dernier.

Horrifié, le grand lamassou barbu comprit que lui et ses compagnons venaient d'être vaincus. L'humain qu'il croyait être une inoffensive brebis était en fait le plus dangereux des prédateurs qui soient.

- J'ai gagné, clama Sartigan en agrippant le lamassou par la barbe. Maintenant, tu vas obéir et m'amener aux démons que tu sers, sinon, je vais devoir te tuer. Nous avions un pacte, tu dois le respecter.

Le lamassou acquiesça d'un mouvement de tête.

- Sache que toi et tes compagnons, vous n'êtes bons qu'à tuer des enfants sans défense, ajouta le maître en fixant le chef dans les yeux. Les forts ne s'en prennent jamais aux faibles, car ils en ont la responsabilité. Mais toi, tu ne comprends pas ces choses, n'est-ce pas?

Le lamassou essaya de soutenir le regard de Sartigan, mais n'en fut pas capable. Il baissa la tête pendant que le maître le forçait à s'agenouiller.

- Conduis-moi tout de suite aux monstres qui t'envoient!, lui ordonna Sartigan en bondissant sur son dos. Maintenant!

Aussitôt le lamassou déploya ses ailes et s'envola.

Sartigan eut à peine le temps de saluer Junos d'un mouvement de tête qu'il volait déjà au-dessus des remparts de Berrion.

Junos eut le sentiment qu'il s'agissait d'un adieu.

Chapitre 12
Le jugement des elfes noirs

Comme s'il émergeait d'une longue nuit de sommeil, Béorf ouvrit les yeux.

Ensommeillé, il regarda autour de lui et constata qu'il était au centre de ce qui lui semblait être une cour de justice où une centaine d'elfes noirs aux cheveux blancs attendaient patiemment son réveil.

- J'espère que vous avez prévu un buffet, parce que je n'avouerai rien le ventre vide!, lança-t-il à la rigolade avant de se positionner pour se rendormir. Mais qu'est-ce que… on est mal ici… on dirait des chaînes… c'est froid… mais? Mais où suis-je?

Béorf, maintenant bien réveillé, se rendit compte qu'il était effectivement enchaîné à une grande chaise de pierre très inconfortable.

- C'est votre façon de recevoir des invités?, demanda-t-il à l'assemblée des elfes qui, stoïque, l'observait. Avez-vous déjà pensé à la torture comme cérémonie de bienvenue? On dit que c'est très à la mode chez les barbares!

À sa droite, Béorf remarqua une autre chaise, exactement comme la sienne, où le cadavre desséché de Lolya gisait, désarticulé. La nécromancienne, qu'on aurait dit morte depuis des années, faisait pitié à voir. La pauvre ressemblait à une momie desséchée.

- Mais qu'est-ce que…, grogna Béorf, horrifié. Mais qu'est-ce que vous lui avez fait? JE VIENS DE VOUS DEMANDER CE QUE VOUS LUI AVEZ FAIT!

Les elfes noirs, imperturbables, eurent à peine un clignement d'œil.

- Rendez-moi ma liberté ou je casse TOUT!, cria Béorf en essayant de briser ses chaînes. Si je me fâche, je jure que vous allez le regretter!!!

Un elfe portant une robe rouge se leva, puis s'adressa calmement au béorite.

- Restez clame ou nous tuons la gorgone, dit-il. Nous savons que vous êtes très attaché à cette horreur… n'est-ce pas? Quant à la fille noire, nous lui avons pris son arme et… elle est morte. Sa décomposition très rapide nous a surpris tout autant que vous. J'aurais bien aimé avoir une explication à ce phénomène.

- Médousa! Où est Médousa?, s'inquiéta Béorf.

- Dans un cachot, sous notre surveillance, expliqua l'elfe. Les êtres inférieurs n'ont pas l'autorisation d'assister aux procès. Même chose pour les deux luricans.

- Un procès!? Mais de qui?! Pourquoi!?

- Un procès pour meurtre. Taisez-vous maintenant. Nous allons bientôt commencer!

- Nous n'avons tué personne!, protesta Béorf. Mais vous nous prenez pour qui?

En colère, Béorf pensa sérieusement à faire monter en lui une rage guerrière, mais la menace de représailles contre Médousa calma ses ardeurs. S'il perdait la tête afin de leur donner une bonne leçon, il risquait que l'on fasse du mal à sa copine.

- Où est Amos?, se contenta de demander le béorite en serrant les dents. J'espère que vous savez à qui vous avez affaire parce mon ami possède des pouvoirs que vous pouvez à peine imaginer.

Un messager apporta à l'elfe à la robe rouge une missive qu'il déposa devant lui. L'elfe prit le temps de la lire, puis il fit tinter une clochette. Il s'adressa ensuite à l'assemblée :

- On m'informe à l'instant que l'opération fut un succès et que le condamné est prêt à recevoir sa sentence.

- Une opération?!, s'étonna Béorf. Mais quelle opération?

- Il est l'heure. Que le procès commence!, continua l'elfe sans s'occuper du béorite. Que l'on fasse entrer l'accusé!

La porte de la salle s'ouvrit et une dizaine de dryades entrèrent en escortant Amos Daragon. Dans un silence angoissant, les créatures de la forêt installèrent le porteur de masques sur une chaise identique à celle de Béorf et l'enchaînèrent à son tour. Ensuite, elles déposèrent une grande table en face de l'elfe, la dague de Baal appartenant à Lolya, les quatre masques de pouvoir ainsi que les seize pierres de puissance d'Amos.

Incrédule, Béorf écarquilla les yeux, puis il se retourna vers son ami.

- Mais ce sont tes masques!? Que font-ils là? Comment ont-ils réussi une telle chose?

- C'est terminé Béorf, dit Amos épuisé, je n'ai plus de pouvoirs… ils me les ont arrachés de force. Désolé, mon ami… tout est de ma faute. J'ai fait confiance à cette dryade qui m'a complimenté et… et je suis tombé dans son piège. J'aurais dû me méfier…

- Et Lolya? Tu l'as vue? Que lui est-il arrivé?

- Elle est morte, Béorf. Je crois qu'ils l'ont tuée.

- Mais c'est impossible!, s'indigna l'hommanimal. C'est un cauchemar! Je rêve… c'est ça, je suis en train de rêver et je dois me réveiller!

- Tu ne rêves pas, mon ami… cependant, nous sommes bien dans un cauchemar.

L'elfe à la robe rouge se leva et s'adressa à ses semblables.

- Chers amis, dit-il, aujourd'hui est un grand jour, car notre valeureux confrère Arkillon sera, après de longues années, vengé de ses meurtriers!

- Mais qu'est-ce qu'il raconte, lui?, lança Béorf. Nous n'avons tué personne!

- Taisez-vous, accusé, ou nous vous ferons couper la langue!, le menaça l'elfe. Amos Daragon, ici présent, ainsi que ses compagnons sont formellement accusés d'avoir assassiné notre frère Arkillon et de lui avoir volé son pendentif de vie, ses masques et ses pierres de puissance, tout cela dans le but d'usurper son identité afin d'accomplir en son nom la mission de la Dame blanche.

Bouche bée, Béorf avait la mâchoire décrochée. Ces accusations étaient tout à fait ridicules puisque le béorite était là, bien présent aux côtés d'Amos, lorsque celui-ci avait mérité chacun de ses masques de puissance. Les propos de l'elfe n'étaient que de vulgaires calomnies.

- C'est tout à fait impossible, protesta Amos. Arkillon est mort plusieurs siècles avant ma naissance! Comment aurais-je pu tuer quelqu'un qui était déjà mort?

- Mais, selon vos dires, il était votre ami et vous vous êtes bel et bien rencontrés dans une ville nommée Braha, pas vrai? On ne tisse pas des liens d'amitié avec un mort, monsieur Daragon! Nous savons de source certaine que c'est lors de cette rencontre que vous avez décidé de mettre fin à ses jours.

- Et dans quel but aurais-je commis ce meurtre?, demanda Amos.

- Pour la gloire et la renommée, répliqua l'elfe, des vices très répandus chez les êtres humains. Depuis sa création, votre race possède une soif intarissable de pouvoir. Vous ne vivez que pour votre propre gloire.

Incapable d'entendre ces grossières insultes, Béorf explosa.

- Avez-vous des preuves pour ainsi nous calomnier? Mais comment pouvez-vous penser de telles choses! Moi qui croyais en la sagesse elfique, je constate aujourd'hui votre manque flagrant de bon entendement!

- Mais nous n'avons pas besoin de preuves, s'amusa l'accusateur. Nous sommes les êtres supérieurs et nos jugements sont toujours éclairés. C'est vous, pauvres mortels, qui n'y comprenez rien! Autour de vous, accusés, se trouvent regroupés les derniers elfes de ce monde, nous sommes ce qui reste de la conscience et de l'intelligence de ce continent.

Amos demanda la parole.

- Les autres porteurs de masques et moi avons réussi là où la première génération de magiciens des éléments, les elfes, a échoué, expliqua-t-il. Arkillon était bien un ami que j'ai rencontré dans la ville des morts. J'ai fait le voyage jusqu'ici pour vous remettre son pendentif, car j'ai cru que vous aimeriez savoir ce qui était advenu de lui. Il y a quelques jours, j'ai fait un voyage dans l'Éther et je lui ai parlé. Pour le repos de son âme, celui-ci m'a demandé de construire un sanctuaire où tous ceux qui ont combattu pour…

- Que d'obscénités!, s'entêta l'elfe. Un voyage dans l'Éther pour y rencontrer Arkillon! Rien que ça!? Si des porteurs de masques de ta race, celle des humains, ont réussi là où les miens ont échoué, c'est parce que vous avez volé leurs pouvoirs afin de vous unir à la Dame blanche. Votre espèce cherche sans cesse des moyens de s'enrichir et de gagner plus de force afin de soumettre le monde à ses caprices. Vous insultez ici, devant nous, la mémoire du plus grand héros de notre peuple!

- Alors, selon vous, un elfe ne peut pas échouer?,
demanda Amos.

Les membres de l'assemblée eurent alors un
petit rictus complaisant. De toute évidence, cette question était stupide et ne méritait même pas
qu'on la soulève.

- En effet, répondit l'accusateur. Mon peuple ne
commet pas d'erreur! L'échec n'est pas dans notre
nature, ni même dans notre culture. D'ailleurs, ce
mot n'existe pas dans notre langue, il est typique-
ment... humain.

- Mais ils sont complètement fous, grogna Béorf,
incrédule. Comment peut-on être aussi prétentieux?

- L'assemblée des elfes décidera dans les pro-
chains jours de votre avenir! Il va de soi que le
meurtre d'un être supérieur est une faute très grave
et que notre verdict sera à la mesure de votre cri-
me!

- Dans ce cas, rien ne sert de nous défendre!,
lança Amos. Vous avez déjà convenu de ma culpa-
bilité et de celle de mes amis, n'est-ce pas?

- Oui, vous êtes coupables, nous le savons!, trancha l'elfe. Les masques de puissance n'ont pas été
créés pour les humains et c'est exactement pour
cette raison que nous vous les retirons! Ils sont
maintenant la propriété de notre peuple ainsi que
la dague maudite!

- Je comprends maintenant, renchérit Amos. En
réalité, vous êtes des voleurs! Vous me dépossédez

de mes masques pour mieux vous en servir, n'est-ce pas? Ce qui vous intéresse, ce n'est pas le sort d'Arkillon, mais la puissance de la magie qui se trouve devant vous!

- Bien parlé Amos!, ajouta Béorf. Vous êtes une race de brigands prétentieux… détachez-moi que je vous explose quelques dents!

- Qu'on les amène au cachot!, ordonna l'elfe. Ils connaîtront bientôt leur sort!

- Que fait-on, Amos?, murmura Béorf. Couvre-moi pendant que je leur fais une rage guerrière! Si tu tiens la porte fermée, aucun d'entre eux ne sortira vivant de cette pièce. On y va?

- Mais je n'ai plus mes pouvoirs Béorf, lui rappela Amos. Sans mes masques, je ne suis plus rien…

- Ah oui, fit le béorite, penaud. J'avais déjà oublié… mais tu as certainement un autre plan?

- Non, Béorf… je n'ai plus rien.

Les dryades exécutèrent les ordres et accompagnèrent les deux amis vers leur cellule respective. Seul le cadavre désarticulé de Lolya demeura dans la grande pièce.

- Je vais me reposer un peu, dit l'elfe à la robe rouge à ses semblables, car il me faudra beaucoup d'énergie pour intégrer ces masques de pouvoir. Un nouveau jour se lève pour notre race, mes frères! Une fois que je pourrai contrôler les éléments, nous sortirons enfin de ces forêts pour étendre notre emprise sur le monde. Il fut un jour où les elfes régnaient en maîtres d'un océan à l'autre. Durant ces jours heureux, nous ne craignions rien ni personne. Il est temps de retrouver notre paix d'antan! Nous reprendrons aux dieux ce qu'ils nous ont enlevé. À plus tard, mes compagnons.

L'elfe à la robe rouge emporta avec lui les masques, les pierres et la dague de Baal. À sa suite, l'assemblée se leva et chacun quitta la pièce en silence.

La lourde porte de la salle d'audience se referma, mais se rouvrit aussitôt.

- J'ai oublié mon arc dans la salle!, dit un elfe noir en s'adressant à un confrère dans le couloir. Oui, allez-y, je vais vous rejoindre au lac! Non, ne m'attends pas! Enfin, c'est comme tu veux…

L'elfe se rendit à l'endroit où il était assis et constata qu'il y avait effectivement oublié son arme. Il l'empoigna prestement et se dirigea vers la porte. Prêt à sortir, il entendit derrière lui un bruit de pas. Vif comme un fauve, il se retourna, l'épée à la main, mais il ne vit personne. La salle, éclairée par des chandelles, était bien vide.

Un peu troublé, l'elfe rengaina son arme et empoigna à nouveau la poignée de la porte. Une seconde fois, un bruit de pas, dans son dos, l'inquiéta.

- Qui est là?, demanda-t-il calmement. Je vous ai entendu, montrez-vous. Vous le savez, je n'aime pas les mauvaises blagues!

L'elfe pensa d'abord à un mauvais tour qu'aurait pu lui jouer un de ses amis, mais renonça rapidement à cette hypothèse. Tous les membres de son clan étaient sortis devant lui et parmi eux, les farceurs ne faisaient pas légion.

L'idée du cadavre de la jeune noire, restée sur une des grandes chaises de pierre, vint le tracasser. Mais il rejeta aussi cette explication. Après tout, la fille était bien morte et l'elfe savait que les cadavres humains ne reviennent jamais à la vie à moins qu'ils soient envoûtés par une puissante magie. Malgré ce raisonnement tout à fait logique, il fit quand même quelques pas en direction de Lolya pour vérifier sa thèse.

- J'en aurai le cœur net, pensa-t-il en s'approchant de la chaise de pierre. Mais… que?!

Contre toute attente, le cadavre avait disparu. Il n'était plus à sa place.

À ce moment, l'elfe noir ressentit la douleur d'une brûlante morsure dans le cou. Paniqué, il essaya de se défaire de son assaillante, mais en fut incapable. La chose qui s'en prenait à lui avait dix fois sa force. Tout en essayant de garder son équilibre pour ne pas tomber à la renverse, l'elfe tenta d'appeler à l'aide. Ses cris, trop faibles pour atteindre les oreilles de ses semblables, moururent dans la grande salle. Envahi par une grande faiblesse, l'elfe posa un genou au sol, puis s'effondra. On lui avait drainé une grande quantité de sang.

Toujours agrippée à l'elfe, Lolya retira ses crocs du cou de sa victime. Enivrée par le goût onctueux du sang, elle constata avec bonheur que sa peau avait repris un peu d'élasticité, mais surtout, que ses poumons respiraient à nouveau. Ses muscles, gorgés de sang, s'étaient complètement refaits. Le cadavre décharné qu'elle avait été faisait peau neuve.

- Mais qu'est-ce que j'ai fait?, se demanda-t-elle, bouleversée. Je l'ai mordu et j'ai bu son sang… et ma dague, où est Aylol? Et qu'est-ce que je fais ici? Amos, tu es là?

Devant elle, l'elfe eut soudainement un regain de vie. Il réussit à se redresser la tête pour contempler son agresseur.

- Je suis désolée, lui dit aussitôt Lolya. Je ne voulais vraiment pas vous faire de mal, mais… mais c'était plus fort que moi. Tout est arrivé comme dans un rêve… laissez-moi vous aider!

La jeune noire avait du sang tout le tour de la bouche, les yeux creux et deux énormes canines luisantes.

- Ne me faites pas de mal, supplia l'elfe. Je suis désolé pour les masques et la dague, mais nous n'avions pas le choix. La survie de notre race en dépend… vous devez comprendre… laissez-moi partir…

- Mais je ne vous retiens pas, répondit candidement Lolya.

Puis, la jeune noire changea d'expression. Ses traits se durcirent et ses mots prirent une intonation macabre.

- Seulement, cher elfe, il semble bien que, pour ma part, il s'agissait également d'une question de survie. Vous avez essayé de m'enlever… maintenant, il faut payer! Je vous jure que je ne comprends pas ce qui m'arrive, enchaîna Lolya, presque dans le même souffle. J'ai des absences… on dirait que je perds le contrôle de mon corps et de mon esprit! Tu vois, comme elle souffre, ma copine? continua-t-elle sur un ton agressif.

Incrédule, l'elfe eut l'impression que deux personnes distinctes habitaient le même corps.

Non… je suis un elfe, mon sang est pur! Vous n'avez pas le droit!

- Mais, c'est plus fort que tout, dit Lolya, en proie à des spasmes. Je dois absolument boire votre sang! La pureté de ta race, tu sais ce que j'en fais?, dit-elle dans un rire sadique.

Tel un animal sauvage, Lolya planta ses crocs dans le corps de l'elfe et le draina de tout son sang. Une fois qu'elle eut avalé la dernière goutte, la jeune noire ressentit un immense bien-être.

- Je peux donc survivre sans Aylol, pensa-t-elle, mais pour cela, je devrai me nourrir du sang d'autres êtres vivants. Je suis devenue une Otgiruru… c'est… c'est affreux.

C'est ainsi que les dogons appelaient ces zombies venus des jungles profondes, incapables de survivre sans s'abreuver de sang.

- Moi… une Otgiruru!, s'écria-t-elle avec dégoût. Non… c'est trop terrible!

- Mais oui, Lolya, tu ne peux pas vivre sans moi… car je suis en toi.

- Aylol?

- Oui, Lolya…

- C'est toi qui… c'est toi qui a fait de moi un monstre?

- C'était l'unique solution pour que nous survivions! J'ai quitté la dague pour me marier à ton âme. Nous devrons apprendre à vivre ensemble…

- Non, je ne peux pas… je ne veux pas!

- Il faudra t'y faire, Lolya!, fit Aylol. Maintenant, ta meilleure amie, c'est toi-même!

- Va-t-en! J'aime mieux mourir que de vivre ainsi!

- Non, tu ne mourras pas, car je suis là pour te protéger…

La porte de la salle s'ouvrit soudainement. Un autre elfe noir y pénétra.

- Alors, tu viens?, demanda-t-il à voix haute. J'ai décidé de t'attendre, mais là, je perds patience.

Aylol leva la tête en arborant un sourire machiavélique.

- Ne fait pas cela… je t'interdis!, cria Lolya.

- Nous avons besoin de sang pour survivre!, fit Aylol.

- C'est plus fort que moi, désolée!, lança Lolya à l'elfe noir avant de bondir sur lui.

Chapitre 13
La fuite

Dans les ténèbres de sa cellule, Amos faisait les cent pas.

Tout était arrivé si vite. En quelques heures, il était passé du magicien le plus puissant du continent à un vulgaire être humain sans aucun pouvoir.

- J'aurais dû me méfier! J'ai été trop négligent!, se répétait-il sans cesse. Je n'arrive pas à le croire!

Comme un vulgaire novice, Amos avait atterri dans un pays inconnu avec l'assurance que rien de mal ne pourrait lui arriver. Encore plus naïf qu'à ses premiers jours d'aventures à Bratel-la-Grande, il s'était fait charmer par la gentillesse de la dryade, puis capturer sans offrir la moindre résistance.

- Pour un maître, j'en suis tout un!, continuait Amos, au désespoir. Tout se passait trop bien! J'aurais dû me douter… par ma faute, Lolya est… elle est morte! Mais comment ma vie a-t-elle pu basculer aussi vite?

Prudents, les elfes noirs avaient entouré furtivement la flagolfière. S'aidant de longues sarbacanes aux dards imbibés d'une solution soporifique, ils avaient rapidement endormi tous les compagnons d'Amos. Seul Béorf, à cause de son imposante constitution, avait réussi à demeurer debout plus longtemps que les autres.

- Mais comment sortir d'ici maintenant? Je n'ai plus de pouvoir! Sans mes masques, je ne suis plus rien! Me voilà aussi vulnérable qu'un insecte sous la botte d'un passant... j'ai tout perdu... tout perdu.

Les elfes avaient ensuite lancé Médousa dans une oubliette, enchaîné Béorf et Lolya, puis s'étaient occupés de récupérer les masques de puissance. Pour ce faire, quelques grands magiciens avaient uni leurs forces et déclenché un sort de dissolution. Les masques sertis de leurs pierres de puissance avaient alors émergé du visage d'Amos.

- Moi qui me croyais invincible! Sartigan avait bien raison de me rappeler que je manque souvent de modestie. Tout est de ma faute! À cause de mon orgueil, j'ai perdu mes pouvoirs, mais surtout mon amie Lolya... et dire qu'elle avait en moi une confiance aveugle! Et Béorf? Et Médousa? Où sont-ils?

Il ne restait plus ensuite aux elfes noirs qu'à inventer un simulacre de procès pour s'emparer légalement des masques de puissance. Le collier d'Arkillon leur fournissant un prétexte idéal pour jouer la comédie, l'affaire serait vite faite. Ceux-ci n'avaient pas eu tort puisqu'Amos croupissait maintenant, sans le moindre pouvoir, dans une de leurs geôles. Une seule chose demeurait incompréhensible : la mort de Lolya. Au moment où ils lui avaient retiré sa dague, la jeune fille s'était desséchée comme un fruit au soleil. En quelques minutes, sa peau était passée du noir au gris pendant qu'une partie de ses jambes et de ses doigts tombait en poussière. Un phénomène inexplicable, même pour les plus érudits.

- Il ne me reste plus qu'à attendre la mort dans cette cage, conclut Amos en pleurant. Je n'ai plus d'espoir… et plus de raison de vivre. Mon âme, comme celle d'Arkillon, errera dans l'Éther jusqu'à la fin des temps. Jamais je ne pourrai accomplir ma promesse de construire un sanctuaire. J'ai peut-être réussi ma première mission, mais je viens d'échouer lamentablement la seconde. J'ai honte… honte de ma faiblesse… honte de ma stupidité… mais surtout, j'ai honte de mon orgueil qui me chuchotait à l'oreille que j'étais invincible! Un moins que rien… voilà ce qu'est devenu Amos Daragon.

- Amos? Tu es là?, demanda une voix familière de l'autre côté des barreaux de sa cellule.

- Oui… qui est là?

- C'est moi… c'est Lolya.

- LOLYA!, s'exclama Amos rempli de joie. Mais tu n'es pas morte?

- Ne t'avance pas vers moi!, l'avertit-elle. Je ne veux pas que tu me voies!

- Mais pourquoi?

- N'AVANCE PAS, JE TE DIS!, répéta-t-elle violemment. Ce serait dangereux pour toi… reste dans les ténèbres, je ferai de même.

- Je ne comprends pas…

- Il y a longtemps que je suis morte, Amos, expliqua Lolya, mais c'est aujourd'hui que je te l'avoue. Je vivais grâce à la dague de Baal, celle que tu m'as rapportée des Enfers... nous étions en symbiose et sans elle, je n'aurais pas pu vivre ces dernières années à tes côtés. Maintenant que j'en suis séparée, je suis devenue... comment te dire, je me suis... transformée en monstre. J'ignore pourquoi, mais de toute évidence, je ne suis plus la Lolya que tu as connue.

- Laisse-moi te voir, je t'en prie.

- Jamais, tu m'entends! Je ne veux pas altérer l'image que tu as de moi... Je vais ouvrir la porte de la cellule, mais jure-moi, au nom de l'amour qui nous unit, de ne pas essayer de me voir.

- Mais c'est impossible, Lolya, comment veux-tu que...

- JURE-LE-MOI! SUR TON HONNEUR!

- Je... je te le jure, balbutia Amos.

- Notre histoire s'arrête ici... lorsque tu sortiras de cette prison, tu m'oublieras comme je t'oublierai aussi. Tu ne chercheras pas à me voir, ni à me venir en aide. J'ai déjà libéré Béorf et Médousa ainsi que les deux luricans. Ils ont réussi à atteindre la flagolfière et se sont enfuis. Les elfes noirs sont partis à leur recherche, ce qui m'a permis de m'enfoncer un peu plus dans leur grotte pour enfin te retrouver!

- Mais toi, comment as-tu pu tromper leurs gardes?

- Je ne les ai pas trompés, mon bel Amos, je les ai assassinés… et j'ai bu leur sang jusqu'à la dernière goutte. Je suis devenue une Otgiruru et suis incapable de contrôler mes pulsions. J'ai envie de mort, de sang… j'ai envie de tuer tout ce qui vit autour de moi, envie même de t'étrangler… je suis un cauchemar vivant, un monstre qui ne mérite pas de vivre.

La porte de cellule d'Amos s'ouvrit soudainement.

- Sors, maintenant!, lui ordonna Lolya. Une fois à l'extérieur, prends l'escalier de pierre à ta droite et cours de toutes tes forces jusqu'au sommet. Pousse ensuite la porte qui sera devant toi, tu sortiras dans la Forêt rouge. Jure-moi de courir le plus vite possible, de t'éloigner de moi avant que l'envie de te tuer me prenne. Jure-le-moi!

- Je le jure!

- Alors, vas-y! Ne perds pas de temps… je sens que je perds le contrôle! VITE, VA-T-EN!!!

Comme l'éclair, Amos se propulsa à l'extérieur de la cellule et grimpa quatre à quatre les marches le menant vers la sortie. Derrière lui, il pouvait clairement entendre les cris de Lolya qui, essayant de vaincre son désir de sang, le suivait de près.

- Enfin nous voilà débarrassées de toi!, hurla de joie Aylol. Lolya est pour moi! Elle est maintenant toute à moi! Cours, mon petit porteur de masques! Allez, cours plus vite!

Terrifié par la voix maléfique de Lolya, Amos déboucha enfin dans la Forêt rouge. À bout de souffle, il prit quelques secondes près d'un arbre pour se reposer. Deux flèches vinrent se loger dans le tronc en l'effleurant.

- Les elfes noirs… ils m'ont vu!, se dit-il avant de reprendre sa course.

Derrière Amos, les deux elfes qui l'avaient aperçu alertèrent les autres.

- Je n'aurai pas de chance contre eux dans cette forêt!, pensa Amos dans sa course. Je dois trouver une cachette… mais où?

Débouchant dans une clairière, le fugitif évita quelques flèches, mais une d'entre elles le blessa à l'épaule.

- C'est pire… me voilà maintenant à découvert! Si j'avais encore mes pouvoirs, je…

Amos tomba soudainement face contre terre. Un carreau d'arbalète venait de lui transpercer la jambe. Tant bien que mal, il se releva et en claudiquant, continua sa course.

- Jamais je n'arriverai à m'échapper… ils vont me tuer… pas de pitié… il faudrait que je m'envole… c'est la seule façon de leur échapper.

Alors même qu'il pensait à voler, Amos sentit ses pieds quitter le sol et son corps devenir aussi léger que l'air. Une force inconnue s'était emparée de lui et le tenait, dans son dos, par son armure de cuir. Cette main géante d'une incroyable puissance le tirait vers le ciel sans qu'Amos la contrôle.

- J'arrive à temps, grand frère!, lança une voix caverneuse.

- Maelström!? MAELSTRÖM!!!, hurla de joie Amos. C'est toi! OUI! C'EST BIEN TOI!

- Installe-toi, grand frère, nous avons un long voyage à faire!, annonça le dragon en déposant Amos sur la large selle de son dos. Normalement, je les aurais grillés ces elfes, mais nous n'avons pas de temps à perdre.

- Que se passe-t-il, mon petit frère?

- C'est Sartigan… il est en danger!

Chapitre 14
Le retour du petit frère

Maelström avait laissé sa nouvelle amie, la porteuse de masques Tserle Merle, à la porte du continent de l'eau avant de prendre seul le chemin du retour. Désorienté, il s'était dirigé vers les terres de glaces sans savoir que la saison des tempêtes battait son plein. Cherchant un refuge sur ces terres hostiles, il avait failli mourir de froid. Malgré sa force et son courage, le dragon avait dû se résoudre à rebrousser chemin, la violence des vents l'empêchant d'avancer.

C'est par hasard qu'il avait croisé l'homme-gris et celui-ci, plus courtois qu'à son habitude, lui avait indiqué le bon chemin vers Upsgran. Ainsi, Maelström avait rejoint le village des béorites quelques jours seulement après le départ d'Amos et de ses amis vers le pays d'Atrum. Geser, au comble de la joie, l'avait dorloté pendant quelques jours puis il avait accepté, bien malgré lui, de laisser son protégé repartir vers Berrion afin de saluer Junos et Sartigan.

Arrivé dans la capitale du royaume des Quinze, Junos l'avait tout de suite mis au courant des derniers événements. Sage, Maelström avait choisi de retrouver rapidement son grand frère afin de porter secours à Sartigan.

Après avoir survolé à quelques reprises le pays d'Atrum, son regard s'était posé sur Amos poursuivi par des elfes noirs. Il avait aussitôt plongé du ciel pour le cueillir in extremis. Depuis, ils volaient à pleine vitesse vers le pays des lamassous.

- Tu dis, Maelström, que je suis condamné par les dieux?, lui demanda Amos en apprenant la nouvelle. Mais quel type de condamnation?

- Les dieux veulent t'envoyer dans la prison des Enfers, dans le Tartare, répondit le dragon. Junos m'a fait voir un dessin te représentant et il m'a lu les accusations qui sont portées contre toi, grand frère... enfin, contre nous, devrais-je dire, car il est inscrit que personne ne peut te venir en aide sans en assumer de graves conséquences.

- LE TARTARE! Mais je connais cet endroit et je n'ai pas du tout envie d'y retourner! C'est certainement un des lieux les plus terrifiants que j'ai croisés dans ma vie. Sans mes pouvoirs, je n'y survivrai pas deux jours. Décidément, les choses ne s'améliorent pas pour moi...

Amos avait raconté à Maelström la façon dont il s'était fait voler ses masques. Ébranlé, le dragon lui avait proposé de retourner immédiatement dans le pays d'Atrum afin d'obliger les elfes noirs à lui redonner ses pouvoirs, mais ce combat serait perdu d'avance.

- Mais, sans tes pouvoirs, tu ne pourras pas aider Sartigan, grand frère?

- Sartigan n'a pas de masques, aucun pouvoir magique, mais il est le guerrier le plus dangereux que je connaisse!, répondit Amos. Même toi, petit frère, tu n'arriverais pas à le terrasser si tu le voulais!

- C'est bien vrai, confirma Maelström.

- Alors, il est temps que je me fasse un peu confiance, continua Amos. Je me rends compte aujourd'hui que j'étais dépendant de mes masques et que je dois arriver à m'accomplir sans eux. Enfin, pour l'instant…

- Tu es courageux, grand frère!

- Non, Maelström, je n'ai pas le choix, voilà qui est bien différent! Sartigan m'a toujours répété qu'une seule chose est permanente : le changement… je dois accepter ma situation, sans pour autant m'y résigner, et m'adapter. C'est une question de survie!

Maelström et Amos survolèrent bientôt les terres du roi Ahara, le pays des lamassous.

- Et ta jambe, grand frère?, s'inquiéta le dragon.

- J'ai retiré le carreau et fait un pansement, le rassura Amos. Je crois que tout ira bien… elle ne saigne même plus!

- Excellent!, se réjouit le dragon. Avons-nous un plan pour retrouver Sartigan?

- Non… nous improviserons! Tu es prêt à cracher ton feu, petit frère?

- À calciner une ville entière!

- Regarde là-bas Maelström, il y a des milliers de charognards qui volent en tournoyant! Allons-y, je crains le pire!

Aussitôt, le dragon mit le cap sur la multitude d'oiseaux rapaces qui, notant son arrivée, s'empressèrent de se disperser. Au sol gisait une centaine de corps de lamassous et parmi le lot, au centre de l'hécatombe, Amos reconnut le corps de Sartigan. Le pointant du doigt, Maelström plongea dans sa direction et atterrit à quelques pas de lui.

- Surveille autour de nous, petit frère, je m'occupe de lui.

Lorsqu'Amos se pencha sur son ancien maître, le vieil homme respirait encore. Il était dans un piteux état. De nombreuses lacérations ainsi qu'une multitude de contusions lui couvrait le corps. Ses vêtements déchirés et couverts de sang témoignaient du combat épique qu'il avait livré en ces terres.

- Sartigan? Vous m'entendez? C'est moi... Amos! Je vais vous tirer de là! Maelström est avec moi et nous allons vous reconduire à Berrion!

- Oh Amos!, fit le vieux sage en entrouvrant les yeux. C'est un grand plaisir de te revoir, jeune maître! Je suis content que tu sois venu m'accompagner dans mon dernier voyage... c'est un grand honneur.

- Pas question que vous mouriez maître!, répondit Amos. Reposez-vous, je m'occupe de tout...

- Ne t'occupe pas de moi et écoute-moi, jeune maître, dit Sartigan qui gisait dans son propre sang. Je suis venu ici pour venger une victime innocente, mais je ne savais pas que je serais attendu de pied ferme. À vrai dire, ce n'est pas moi que l'armée des lamassous attendait, mais toi. Je me suis quand même bien défendu... hé, hé, hé...

- Cessez de parler, vous perdez des forces...

- Amos, je vais mourir… et je suis heureux de partir! Il est trop tard pour moi.

- Ne dites pas cela!

- Écoute-moi Amos. Les deux démons qui te cherchent ne sont pas loin. Je suis tombé dans le guet-apens qui t'était destiné…

À ce moment, un éclair déchira le ciel et vint s'abattre directement sur Maelström. Le dragon poussa un cri de douleur avant de tomber sur le dos, inconscient.

- PETIT FRÈRE!, hurla Amos bouleversé de voir tomber son dragon au sol.

Deux horribles créatures se dévoilèrent alors au regard d'Amos. Béhémoth et Léviathan arboraient de larges sourires.

- Bonjour, porteur de masques!, cracha Béhémoth avec véhémence. C'était un coriace ton pépé! Heureusement, ce sont les lamassous qui ont tout ramassé! Ce fut un spectacle grandiose!

- Oui, il s'est bien battu, le vieux singe!, ajouta Léviathan. Désolée pour ton dragon, je ne voulais pas intervenir en sa présence… ce sont des bêtes si instables!

- Que me voulez-vous?, demanda Amos.

- Nous sommes là pour te reconduire à la prison des dieux, mon petit, expliqua Béhémoth. Tu es un renégat et nous venons te chercher! Alors, tu viens?

- Tu nous accompagnes simplement, fit Léviathan, sans faire de chichis, ou nous devrons utiliser la force?

- Je suis un porteur de masques, feignit Amos, et vous ne connaissez pas ma puissance!

- Oui, justement, nous la connaissons!, rigola Béhémoth. Et c'est précisément pour cette raison que nous sommes venus à deux. Mais comme tu es un être humain intelligent, tu nous suivras sans faire de problème!

Amos adopta une position d'attaque qui fit reculer d'un pas ses adversaires. Clairement, ceux-ci ne savaient pas qu'ils ne disposaient plus de ses masques.

- Je vois que tu es prompt!, s'étonna Béhémoth. Tu veux tenter ta chance, n'est-ce pas?

Une goutte de sueur perla sur le front de la créature à tête de bison. Tout de suite, Amos comprit qu'il avait un avantage psychologique sur son adversaire. Il fallait continuer à entretenir le doute.

- À mains nues!, proposa Amos. Toi et moi, l'un contre l'autre, sans arme ni magie! Si je gagne, toi et ta monstrueuse copine retournerez dans les Enfers. Si je perds, j'irai sans rechigner subir ma peine.

- Mais… mais…, s'étonna Béhémoth, un peu troublé. Tu ne savais pas que j'étais immortel? Tu ne peux pas me vaincre, petit porteur de masques!

- Tout ce qui vit meurt, répondit Amos. Et les démons, des plus petits aux plus forts, n'échappent pas à cette loi. Si tu oses m'affronter, tu mourras.

Béhémoth regarda Léviathan avec circonspection. C'était la première fois qu'un adversaire ne semblait ressentir aucune frayeur à l'idée de l'affronter. La confiance inébranlable d'Amos à son égard était aussi perturbatrice qu'incompréhensible.

- Tu prétends pouvoir me tuer?, s'amusa le démon.

- Je te toucherai une fois, répondit Amos avec confiance. Une seule fois et ce sera suffisant pour t'anéantir!

- C'est impossible!, pouffa Léviathan. Mais il déraisonne complètement!

Lors de ses dernières leçons, Sartigan avait livré à Amos le secret du KI. Il lui avait parlé longuement de cette énergie primaire contenue dans toute chose. « Le KI circule dans le corps de toutes les créatures de ce monde, mais aussi dans les univers parallèles qui nous entourent, lui avait expliqué le maître. Le KI est l'essence de la vie… il s'agit de la pulsion fondatrice présente dans chaque créature vivante. Si tu trouves le KI d'un adversaire, tu pourras le vaincre sans effort. »

Amos ne savait pas comment reconnaître un KI ni même ce qu'il devait faire pour l'utiliser à son avantage, mais il scrutait le corps de Béhémoth à la recherche de ce point.

De toute évidence, malgré sa surprise, le démon n'allait pas refuser de donner une bonne correction au porteur de masques. Il laissa donc tomber son gros marteau de guerre et avança de quelques pas vers Amos.

- Alors, tu viens?

- Tu acceptes de respecter notre entente?

- Commence par essayer de me faire mal, rigola Béhémoth, nous verrons ensuite…

Amos ferma les yeux quelques instants puis respira un bon coup.

- Je suis là, se dit-il, sans peur et sans haine, concentré sur ma tâche… je suis présent d'esprit et de cœur. La mort ne me fait pas peur, car elle fait partie de la vie… je suis prêt.

Dès qu'il ouvrit les yeux, Béhémoth se précipita sur lui pour le plaquer au sol. Comme Sartigan l'aurait fait lui-même, il bougea à peine afin d'éviter la charge du colosse et tendit le bout du pied afin de lui prodiguer un croc-en-jambe. Béhémoth tomba lourdement au sol et fit quelques roulades avant de s'arrêter, le nez bien planté dans le sable.

- Bien joué, ronchonna-t-il en se relevant de son humiliante chute. La chance du débutant!

Stoïque, Amos se contenta de le regarder.

Béhémoth se lança dans une autre charge qui se termina, pour lui, de ma même façon. En colère, il bondit sur ses pieds et tenta d'assener quelques bons coups de poing. Malgré l'étonnante vitesse du démon, Amos les évita un à un, puis exécuta une culbute arrière afin de s'éloigner pour reprendre son souffle. Redoublant d'ardeur, le démon saisit sa chance et s'élança vers Amos en poussant un cri terrifiant. À sa grande surprise, il se retrouva encore une fois au sol, bien étendu de tout son long.

- C'est bientôt terminé, ces pitreries, mon chéri?,

lança Léviathan, contrariée. Essaie de le toucher lorsque tu frappes, ça ira plus vite mon amour!

- Ferme-la, mon coquelicot, j'ai la situation bien en main, répondit le démon, rageur.

- C'est certainement une de tes nouvelles stratégies de combat!, le railla-t-elle. Pour l'instant, ce n'est pas très efficace, mais ça promet!

À cet instant, Amos eut envie de rire de la blague de Léviathan, mais il ne se laissa pas déconcentrer. Si Béhémoth réussissait à le frapper ne serait-ce qu'une fois, il l'enverrait tout de suite au tapis. Pour gagner, il fallait le laisser s'épuiser tout en essayant de trouver le siège de sa force vitale, son KI!

Rassemblant toutes ses forces, Béhémoth bondit de nouveau sur Amos. Une avalanche de coups de pied et de coups de poing déferla sur lui, mais aucun ne toucha la cible. Rapide et précis comme son maître le lui avait enseigné, Amos suivait son plan tout en demeurant très vigilant.

- MAIS VAS-TU FINIR PAR TE BATTRE?!!, hurla le démon essoufflé et frustré. Allez, frappe-moi! Approche ici et je te laisse le premier coup!

- C'est bien la première fois que je vois un humain plus rapide qu'un démon, mon doux Béhémoth!, dit Léviathan, le tournant en dérision. Tu vieillis, mon amour, tu vieillis…

- Ferme ton clapet, sorcière!, lui répondit agressivement Béhémoth… et laisse-moi m'occuper de lui.

- Oh!, s'étonna Léviathan, il a perdu son humour, le gros lourdaud!

Pour la première fois depuis le début du combat, Amos sentit que le démon perdait de la force et de la vitesse. Une énième attaque de Béhémoth lui confirma cette intuition. Depuis que le couple avait changé de ton l'un envers l'autre, il paraissait moins impressionnant.

- Alors, tu m'attaques?!, insista Béhémoth.

- Non, je ne vous attaquerai pas, répondit Amos. Je vais vous laisser mourir au bout de votre souffle… je m'amuse trop! D'ailleurs, je crois bien que votre femme aussi y prend beaucoup de plaisir.

- C'est bien vrai que tu m'impressionnes, petit porteur de masques!, le complimenta Léviathan. Tenir tête à Béhémoth sans avoir recours à tes pouvoirs, c'est tout à ton honneur.

- Je l'aurais cru plus…, ajouta Amos, comment dire? Plus coriace!

- Disons simplement qu'il n'est pas dans ses meilleures années!

- TAIS-TOI, FEMME!, hurla le démon.

- C'est à moi que tu parles, grosse chiffe molle?

- Oui, je te parle à toi, abomination!, cria Béhémoth en giflant Léviathan.

- Tu vas le regretter, sauvage!, tempêta Léviathan en le poussant au sol.

Amos sut à ce moment qu'il venait de trouver le KI de ses adversaires. Ceux-ci puisaient leur force vitale dans l'amour qu'ils partageaient l'un envers l'autre. Sans cette énergie, ils devenaient plus faibles et vulnérables. En semant la discorde entre eux, Amos avait porté leur attention, non pas sur leur mission de le capturer et de le ramener dans les Enfers, mais plutôt sur leur propre relation. Sans affection, Béhémoth et Léviathan redevenaient des démons ordinaires. Le chaos et l'orgueil l'emportaient maintenant sur tout.

Alors que les démons commençaient à se battre entre eux, Amos en profita pour se rendre auprès de Maelström. Le dragon, encore sonné par l'éclair de Léviathan, revenait lentement à lui.

- Dépêche-toi, petit frère!, le somma Amos. Il faut vite partir d'ici…

- Mais qu'est-il arrivé? Comment me… me suis-je…, balbutia le dragon.

- Je t'expliquerai plus tard, lança Amos dans l'urgence. Attrape Sartigan et nous volerons le plus vite possible vers Upsgran, tu m'as compris? Geser doit le voir au plus tôt! Avec ses talents de guérisseur, il le sauvera!

- Oui, grand frère… tout de suite.

Maelström empoigna Sartigan avec l'une de ses pattes et d'un coup d'aile quitta la scène de bagarre entre Béhémoth et Léviathan. Avec Amos sur son dos, ils laissèrent derrière eux les démons qui mirent un bon moment à comprendre que le porteur de masques les avait possédés.

Chapitre 15
Otgiruru et la flagolfière

Bien stationnée en haut des nuages et à l'abri d'une attaque des elfes noirs, la flagolfière se laissait dériver au gré des vents. Autour de la grande table de la nacelle, Béorf, Médousa et les luricans se regardaient, incrédules. Tout était arrivé si vite qu'ils avaient du mal à se remettre de leurs émotions.

- Récapitulons, proposa Béorf, troublé. Nous avons été capturés par les elfes noirs afin de subir un procès où Amos a été spolié de ses masques. Ensuite prisonniers, nous avons été secourus par Lolya, que je croyais morte, et qui nous a fait jurer à chacun de ne plus jamais essayer de la voir… puis, nous avons couru comme des déments jusqu'à la flagolfière et levé les amarres… et nous voilà, sans Amos ni Lolya, flottant entre deux nuages et incapables de prendre une décision sur nos prochaines actions. Je résume bien?

- Trrrès bien!, approuva Flag.

- Je n'aurrrais pas dit mieux!, ajouta Groom.

- C'est bien ça, conclut Médousa. Nous sommes pitoyables…

Un profond silence s'ensuivit. Honteux, personne ne savait comment expliquer leur misérable échec dans le pays d'Atrum. Ni pourquoi une simple visite de courtoisie avait pu tourner en un tel cauchemar.

- Vous avez vu Lolya?, se risqua à demander la gorgone. Elle était… comment dire, si… si… transformée! Avec ses longues canines, sa peau craquelée et ses yeux de chat, on aurait dit un monstre. Je n'arrivais pas à croire que c'était bien elle!

- Oui, je l'ai vue, répondit Béorf. J'ai vu son cadavre gisant sur une chaise, puis cette… cette chose qu'elle est devenue. C'était terrifiant! Vraiment!

- Nous avons rrratées cette vision d'horrreur, dit Groom en parlant aussi pour Flag. Elle nous a libérrrés, puis elle est disparrrue dans les ténèbrrres.

Béorf s'ébroua afin de sortir de sa torpeur. Il se frappa ensuite dans les mains afin de se motiver à l'action, puis déclara :

- Alors, voilà le plan! Si nous considérons que Lolya n'est plus prisonnière des elfes noirs malgré ce qui lui est arrivé, il reste donc Amos à sauver! Il est clair pour moi que nous ne pouvons pas quitter le pays d'Atrum sans lui. De plus, comme il n'a pas de masques, nous ne pouvons compter que sur nous pour l'extirper des griffes de ces voleurs aux oreilles pointues.

- Oui, tu as raison Béorf! Nous devons aller le chercher, coûte que coûte!, s'emballa Médousa. Ensuite, nous retrouverons Lolya afin de comprendre ce qui lui est arrivé.

- Oui, élaborrrons un plan!, lança Flag, encouragé.

- C'est maintenant à nous de prendre les choses en main!, déclara Béorf. En laissant Amos prendre toutes les décisions, nous sommes devenus trop dépendants de sa magie et de ses pouvoirs. Avec lui, nous nous sentions en sécurité, à l'abri de tous les dangers. Regardez maintenant où cela nous a menés! Que cette aventure nous serve de leçon et qu'elle soit…

- UN DRRRAGON!!!, hurla soudainement Groom. Je viens de voir passer un drrragon! Vite, cachons-nous!

- OÙ?, fit Béorf, le cœur battant.

- Au sud!, répondit Groom en pointant la direction du doigt.

- C'EST LUI! JE LE RECONNAIS!, cria Médousa. C'est Maelström!

- Ouf!, pensa Groom, ils connaissent cette créature… me voilà rassuré.

De la flagolfière, ils aperçurent le dragon piquer vers le sol et revenir quelques minutes plus tard accompagné d'un cavalier sur son dos.

- Voici notre plan réalisé!, s'amusa Flag. Il semble bien qu'Amos soit sauvé! Maelström aura tout fait à notre place!

- Mais qu'est-ce qu'ils font!?, s'étonna Béorf. Pourquoi foncent-ils à toute vitesse vers le sud? On dirait qu'il y a une urgence…

- Si Amos est sauvé, il nous faut maintenant retrouver Lolya!, proposa Médousa.

***

Perchée en haut d'un arbre de la Forêt bleue, bien cachée entre les branches d'un gigantesque conifère, Lolya pleurait en silence. Plus jamais elle ne pourrait approcher ses amis sans risquer de les attaquer. Quiconque se trouverait sur sa route serait maintenant en danger de mort. Aylol avait fait d'elle un monstre et la jeune nécromancienne ne voyait pas le jour de sa reconversion en être humain. Maintenant seule au monde, elle avait tout perdu.

- Je suis un Otgiruru… un Otgiruru, répétait-elle sans cesse.

- Tu ne devrais pas t'en faire autant, lui dit Aylol empruntant sa voix, sa bouche. Les Otgirurus sont des créatures de grands pouvoirs! Tu verras, nous allons bien nous amuser…

- Je ne veux plus de toi, Aylol, va-t-en! Quitte-moi, trouve un autre hôte et pars, je t'en prie…

- Et te laisser mourir!? Non, jamais. D'ailleurs, c'est toi mon hôte et personne d'autre.

- Je te déteste, dit Lolya qui, au fond, conversait avec elle-même.

- Ce n'est pas grave, parce que moi, je t'aime… Débarrassées d'Amos, nous sommes de vraies amies maintenant, des amies IN-SÉ-PA-RA-BLES! Notre histoire ne fait que commencer et nos aventures seront extraordinaires! Tu te rends compte? Avec moi, tes pouvoirs grandiront de jour en jour, tellement que tu deviendras une déesse.

Il n'y avait décidément rien à faire pour Lolya. Désormais, dans sa tête vivait l'esprit de la dague de Baal, et celui-ci ne la quitterait pas.

- Et si je retrouvais la dague, demanda Lolya, tu consentirais à reprendre ta place?

- Même si je le désirais, lui avoua Aylol, la chose serait impossible! Tu vois, je suis ce qu'on appelle un esprit parasite et je ne peux pas revenir dans le corps d'un ancien hôte. Par elle-même, la dague de Baal a de grands pouvoirs, mais cette lame n'a plus besoin de moi maintenant que j'ai pu m'investir en toi.

- Comme nous sommes coincées dans le même corps, raconte-moi d'où tu viens... j'aimerais te connaître mieux.

Aylol eut un moment d'hésitation. Elle connaissait bien Lolya et savait que la nécromancienne n'acceptait pas sa présence en elle. En posant cette question, elle avait manifestement une idée derrière la tête.

- Je te connais, Lolya!, répondit-elle avec un petit ricanement. Plus tu en apprendras sur moi, plus tu penseras déceler mes faiblesses, une faille que tu pourrais ensuite utiliser afin de m'expulser, non? C'est habile, mais sache que tu me dois la vie. Par deux fois, je t'ai ressuscitée des morts... ne devrais-tu pas être plus accueillante envers moi?

- Mais j'essaie, c'est toi qui refuses! Comment devenir des amies si tu te méfies de chacune de mes questions?, argumenta Lolya en jouant la comédie. Tu devrais me faire confiance, non? Tu sais tout de moi, et moi, presque rien de toi! Les véritables amies partagent tout!

L'esprit de la dague réfléchit quelques instants. Lolya disait vrai et agissait de la sorte avec Médousa. Elle et la gorgone ne faisaient pas de secrets entre elles. Les deux copines parlaient entre elles aussi bien de leur relation avec Béorf et Amos que de sujets encore plus intimes.

- Tu désires vraiment en connaître plus sur moi?, s'étonna Aylol. Ce n'est pas un piège?

- Oui, vraiment!, mentit Lolya avec beaucoup de tact.

- Je ne te crois pas…

- Alors, ne me raconte rien et continue à croire que nous deviendrons de bonnes copines!, ajouta Lolya qui, pour la première fois depuis qu'elle avait Aylol dans sa vie, commençait à la manipuler.

À ce moment, Aylol aurait voulu accéder à la conscience de Lolya pour savoir si elle mentait, mais cette partie de son être lui était inaccessible. Deux esprits pouvaient partager le même corps, mais ils gardaient chacun leur pensée propre.

- D'accord… je… je vais te raconter, dit Aylol. Tu m'as l'air sincère.

- Comme nous passerons le reste de nos jours ensemble, aussi bien savoir qui tu es!

- Oui, c'est logique.

- Je t'écoute…

- Je suis née dans les Enfers, il a des siècles de cela, sur le corps même du grand démon Baal. C'est à lui que je dois la vie…

- C'est ton père?

- Beaucoup plus, précisa Aylol, car je suis une partie de lui. Je lui appartiens totalement et mon plus grand rêve serait de retourner, un jour, auprès de sa magnificence. Tu devrais le voir, il est si beau avec sa tête de chat et tellement majestueux lorsqu'il commande ses légions de démons!

- Tu l'aimes, un peu comme j'aime Amos?

- NON! Pas du tout!, se vexa Aylol. Je ne l'aime pas d'un vulgaire amour de jeunes humains immatures comme toi et ton porteur de masques, non! Moi, je le vénère… l'honore et l'idolâtre. Baal est le souverain absolu du second niveau des Enfers et tous ceux qui le croisent l'adorent!

- Mais comment se fait-il que tu te sois retrouvée dans sa dague?

- Je te l'ai dit, je suis… je suis un esprit parasite et j'ai grandi sur lui en me nourrissant de sa force vitale, expliqua Aylol qui parlait maintenant en toute confiance. Un jour, fatigué de me porter, il m'a arrachée de son corps et je l'ai supplié de ne pas me détruire. Je l'ai imploré… je ne voulais pas vivre loin de lui. Je me suis rabaissée au point même de l'adjurer…

- C'est alors qu'il t'a logée dans sa dague?

- Dans son infinie bonté, il m'a fait une place à sa ceinture et m'a permis de parasiter sa lame. Depuis ce jour, je lui suis infiniment reconnaissante. Sans cet élan de générosité pour moi, je serais morte, seule dans le désert de son royaume, dévorée par des esprits maléfiques.

Trois flèches vinrent simultanément se loger dans le tronc de l'arbre où Lolya avait trouvé refuge. L'une d'elles lui effleura le bras.

- Les elfes noirs nous ont retrouvées!, pesta Aylol. Nous allons descendre et leur montrer à qui ils ont affaire!

- Sers-toi de ton intelligence et regarde un peu autour avant d'agir!, s'empressa de dire Lolya pour calmer la fougue de son double. Précis comme ils le sont avec leurs arcs, s'ils nous avaient voulues mortes, leurs projectiles nous auraient déjà transpercées. Ils nous entourent... je le sens. Nous avons attiré leur curiosité et ils nous veulent vivantes.

- Pas question!, l'avertit Aylol. Jamais je ne me laisserai prendre!

- Alors, il nous faudra penser rapidement à une solution, car je les vois bander leurs arcs à nouveau.

Lolya avait raison puisqu'une volée de flèches venant de tous les côtés s'abattit sur elles.

- Montons jusqu'au sommet!, ordonna Lolya. Vite, ne perdons pas de temps!

- Et ensuite?, protesta Aylol. Tu as l'intention de t'envoler? Excellent plan! Tu me montreras où tu caches tes ailes!

- Une fois en haut, j'invoquerai un oiseau spectral qui pourra facilement nous faire planer jusqu'à une lieue d'ici, expliqua Lolya. S'ils décident de nous poursuivre, nous aurons ainsi une bonne avance!

- Je me doutais que tu n'étais pas si bête!, s'amusa Aylol. Moi, j'y serais allée pour le combat corps à corps, mais ton option ne me déplaît pas.

- Ma proposition est la plus sage et tu le sais!, répliqua Lolya. Sinon, tu serais encore en train de te plaindre!

- Tu prends de l'assurance, murmura Aylol. Ça m'énerve…

- Je t'entends quand tu parles…

- Pff…

- Plaçons-nous ici, entre ces branches! L'endroit est idéal pour… mais!? OOOOOOH!!!

Lolya se sentit transportée d'un coup dans les airs. Une incroyable force l'avait saisie par la taille et la promenait maintenant au-dessus de la forêt.

Troublée, elle tourna la tête et comprit qu'elle se trouvait contre le corps musclé de Béorf. Le béorite, attaché par les pieds à une longue corde fixée à la nacelle de la flagolfière, l'avait attrapée en plein vol.

- Si tu aimes ta première balade au bout d'une corde, blagua Béorf, on travaillera ensuite un numéro de cirque! Ensemble, nous ferons fortune!

Lolya eut envie de hurler de joie, mais ce fut Aylol qui s'exprima la première.

- Lâche-moi, gros ours ignoble! Je t'interdis de me toucher!

- Je vois que c'est la joie de me revoir! Si tu le désires, je peux te laisser tomber!

- Non!!! Je suis tellement heureuse de te voir Béorf!, intervint Lolya.

- Ce n'est pas ce que tu viens de dire!

- C'est parce tu es un gros idiot et que tu ne comprends rien à rien!, s'interposa Aylol.

- Faudrait te faire une idée, Lolya!

- Fais bien attention, je vais t'attaquer! Ce n'est pas moi, c'est cette chose qui...

Aylol sortit ses crocs et les enfonça dans l'épaule du béorite. Aussitôt, elle commença à drainer son sang.

- Désolé Lolya, tu l'auras voulu!, lança le béorite avant de resserrer son étreinte.

Étouffée, Aylol vomit tout le sang frais de Béorf et retira ses canines.

- Tu m'as l'air bien tourmentée, Lolya! Désolé, j'aime mieux limiter les risques... attention, ça va faire mal!, l'avertit Béorf avant de lui assener un coup de poing à la tête.

Assommée, Lolya s'évanouit.

***

Lorsque Lolya ouvrit les yeux, elle constata qu'elle était de retour dans la nacelle de la flagolfière. Solidement attachée à une chaise, elle ne pouvait plus bouger ni les bras ni les jambes. En elle, Aylol bouillait de rage.

- Elle se réveille!, s'exclama Béorf. Euh... je suis désolé pour le coup de poing. Je ne voulais pas te faire du mal. Bon, ton œil est très enflé, mais il guérira… j'en suis presque certain.

- Excellent boulot Béorf, répondit difficilement Lolya.

- Oui… euh, en fait, expliqua le béorite mal à l'aise, tu étais très coriace et j'ai dû frapper quelques fois… mais, ne t'inquiète pas! Tes lèvres fendues retrouveront certainement elles aussi leur volupté d'origine, ainsi que ton nez… et la profonde coupure à ton sourcil.

- Tu m'as charcutée, gros porc?, grommela Aylol.

- Non, pas du tout! Je me suis simplement défendu.

- Tu as très bien fait, dit Lolya. Merci beaucoup, je te dois la vie!

- Très bien fait pour un barbare!, ajouta Aylol. Je te déteste, grosse lavette!

- Mais qu'est-ce que je fais avec elle?, demanda Béorf à Médousa. Je la frappe à nouveau?

- Non… ne la touche plus, lui conseilla là gorgone, il y a un problème avec elle et nous devons l'amener rapidement chez un guérisseur.

- Toi, rigola Aylol, tu me fais vomir avec tes serpents sur la tête, tu es une horreur de la nature, ma petite!

- Ne l'écoute pas, s'interposa Lolya dans le même souffle, elle adore être méchante, mais moi, je n'ai jamais pensé cela. Au contraire, je te trouve magnifique!

- Magnifique comme un nid de couleuvres, oui!, conclut Aylol. Du sang de gorgone, ça doit être bon… miam, miam!

Béorf s'empara d'un bout de tissu et bâillonna Lolya. Malgré les protestations d'Aylol, il réussit ainsi à la faire taire.

- C'est bien étrange cette maladie, chuchota-t-il à l'oreille de Médousa. On dirait qu'elle est possédée par un esprit malin.

- Oui, c'est vraiment bizarre…

- Demandons à Flag de mettre le cap sur Berrion. Junos connaît peut-être quelqu'un dans le royaume qui saura quoi faire, proposa Béorf.

- Oui, c'est la meilleure chose à faire.

Tout joyeux, Groom entra dans la pièce en portant un plateau rempli de carafes, de bouteilles et de verres.

- Madame Lolya, j'ai entendu dire que vous étiez réveillée!, dit-il. Une boisson fraîche peut-être?

Bâillonnée, Aylol lui lança un regard foudroyant.

Groom déglutit et, profitant de son élan, retourna aussi vite en cuisine.

Chapitre 16
Le Sanctuaire des Braves

Maelström battait des ailes à vive allure.

- Il va de plus en plus mal, grand frère, s'inquiéta le dragon. Je sens la chaleur de son corps entre mes pattes, il bout de fièvre! Il perd encore du sang...

- Tu crois que nous pouvons atteindre Upsgran plus vite?, demanda Amos. À la vieille forteresse, nous avons tout pour le guérir!

- Je suis déjà à pleine vitesse! Avec ces vents de face, je ne crois pas.

- Et si nous rebroussions chemin pour atteindre la cité de Pégase? Je connais bien le chef guérisseur et apothicaire des hommoiseaux! Peut-être pourrait-il nous être utile?

- Je ne sais pas, grand frère, mais il respire à peine...

- Alors, pose-toi, je vais essayer de trouver quelques herbes qui devraient l'aider. S'il ne reprend pas du mieux, nous établirons un campement et je t'enverrai chercher de l'aide!

Le dragon piqua vers le sol en direction des monts Armouchiquois situés à l'extrémité du massif nord. Il se posa tout près d'une petite rivière aux contours sinueux traversant une vallée calme où les oiseaux chantaient à tue-tête.

En arrachant des herbes hautes, Amos fabriqua rapidement un lit de fortune où Sartigan fut confortablement installé. Maleström avait eu raison de sonner l'alarme.

- Reposez-vous, maître, lui murmura Amos. Je vais cueillir quelques plantes. Je vous ferai un thé…

Sartigan leva le bras et le déposa sur celui de son ancien élève.

- C'est terminé… tu dois l'accepter. Je suis arrivé au bout de ma route.

- Non, je ne…

- Maintenant, il s'agit de ma mort, Amos… si tu veux parler, assure-toi que ce que tu vas dire est plus beau que le chant des oiseaux qui m'entourent.

Amos se tut, baissa la tête et versa quelques larmes.

Maelström, quant à lui, poussa un soupir et se coucha en boule tout près de Sartigan.

- Lorsque j'aurai poussé mon dernier souffle, murmura Sartigan, tu attendras trois jours et tu brûleras mon corps. Ensuite, j'aimerais que tu enterres mes cendres; une moitié sur cette terre où tu planteras un rosier, l'autre moitié dans le village de Hoyanne, dans mon pays natal.

- C'est promis, chuchota Amos.

- Merci d'avoir été mon élève, Amos, ce fut un honneur.

- Tout l'honneur fut pour moi.

Sartigan ferma les yeux et cessa de respirer.

Maelström leva la tête et poussa un cri déchirant. Les oiseaux effrayés quittèrent la vallée, ne laissant derrière eux que le bruissement des feuilles et les clapotis de l'eau.

- C'est ici que je construirai ton sanctuaire, pensa Amos en se remémorant la demande d'Arkillon. C'est sur cette terre que j'érigerai le Sanctuaire des Braves.

Lexique mythologique

Banshies : On trouve les banshies, ou banshees, dans tous les pays de l'Ancien Monde celtique. Bien qu'elles possèdent des particularités différentes de l'Irlande à la Bretagne, ces femmes mystérieuses poussent des hurlements à glacer le sang. Ces cris, que l'on nomme keenings, sont si puissants qu'ils seraient audibles au cœur même d'une tempête. Ils blanchiraient aussi les cheveux de leurs auditeurs, les laissant avec une impression de mort imminente.

Dryades : Dans la mythologie grecque, les dryades sont trois déesses mineures, timides et très difficiles à reconnaître, que l'on associe aux chênes. Leur nom fut utilisé au fil des siècles afin de nommer les représentantes du peuple de la forêt.

Lamassous : Issus du folklore du Moyen-Orient, les lamassous sont des génies protecteurs. On les trouve régulièrement sculptés aux portes des palais assyriens où ils ont la forme de lions ailés arborant une tête humaine.

Otgiruru : Ce monstre est la version namibienne du vampire classique européen. Il se distingue par son allure de chien et n'hésite pas à s'attaquer à tous ceux qui croisent son chemin, même aux grands sorciers qui l'invoquent.

Yuki-Onnas : Dans les contes et les légendes du Japon, ces êtres surnaturels sont les spectres des personnes mortes de froid. D'une grande beauté, ils apparaissent aux mortels les jours de grande tempête de neige. Vêtues d'un kimono blanc, ces créatures soufflent par leur bouche un vent si froid qu'il glace aussitôt les malchanceux se trouvant sur leur route.

Le Sanctuaire des Braves

3,3% de la vente des livres
de la série Amos Daragon,
Le Sanctuaire des Braves sera versé au
Fond Spécial des Braves
afin de pouvoir inviter gracieusement
d'autres valeureux aventuriers

Si tu as entre 10 et 15 ans et que ton
rêve est de plonger dans
l'univers fantastique d'Amos Daragon,
n'attends plus et viens vivre
l'aventure ultime
au Sanctuaire des Braves!

www.sanctuairedesbraves.com

Une aventure fantastique
dans l'univers d'Amos Daragon

Une réalisation des
Productions Tarkasis,

Les Productions
TARKASIS

en partenariat avec
le Duché de Bicolline

AMOS DARAGON
LE SANCTUAIRE DES BRAVES II

Dès mars 2012

IMPRESSION
IMPRIMERIE GAGNÉ